CONSEJOS ÚTILES DE
JARDINERÍA

CONSEJOS ÚTILES DE

JARDINERÍA

RÁPIDOS Y EFICACES

© Naumann & Göbel Verlagsgesellschaft mbH de
VEMAG Verlags- und Medien Aktiengesellschaft, Colonia
www.apollo-intermedia.de

Traducción: Esther García y Anabel Martín para Equipo de Edición S.L., Barcelona
Redacción y maquetación: Equipo de Edición S.L., Barcelona

Producción: Naumann & Göbel Verlagsgesellschaft mbH, Colonia

ISBN 3-625-10757-0

Índice

INTRODUCCIÓN   **8**

CONOCIMIENTOS BÁSICOS 10

ALGUNAS IDEAS 34

EL HUERTO 54

EL JARDÍN ORNAMENTAL 96

HERRAMIENTAS DE JARDINERÍA 148

INTRODUCCIÓN

Es todo un placer pasear por las calles de un barrio bonito y admirar los bellos jardines. La mayoría de ellos resultarán muy agradables, otros no tanto. Aunque se trata de una cuestión de gustos a menudo el jardinero no ha sabido sacar el máximo provecho de su terreno, no ha tratado el suelo adecuadamente o la combinación de flores que ha elegido no ha sido muy afortunada.

A los aficionados a la jardinería les sucede lo mismo que a cualquier otra persona con sus actividades de ocio: aprenden constantemente y a veces necesitan consultar alguna obra especializada para saber qué hacer en determinados casos. Los objetivos de este libro son dos: transmitir y refrescar conocimientos básicos y aconsejar sobre cuestiones que se plantean con frecuencia.

Sobre el cuidado de las rosas, el cultivo de árboles frutales o el buen uso de los fertilizantes se podrían escribir miles de páginas. Y siempre llega el punto en que es necesario consultar a un experto. Este manual de jardinería describe los métodos más importantes para conseguir un jardín que cause admiración. Si además consigue transmitir la sensación de que los libros ya no son suficientes y por lo tanto es necesario recurrir a la ayuda de un profesional, entonces habremos cumplido nuestro objetivo.

El primer capítulo expone los conocimientos básicos indispensables y en consecuencia es especialmente importante. Si se consideran dichos conocimientos como guía se habrá recorrido ya la mitad del camino. Los deseos y condiciones individuales no son de segunda categoría, pero sí son el segundo paso. La calidad y la mejora del suelo, las obligaciones que dependen de la estación del año, las técnicas de sembrado y de poda, así como las medidas de protección son factores que se deben tener en cuenta en cada jardín, sea del tipo que sea.

El diseño de su jardín y qué va a cultivar en él son temas que requieren métodos propios.

Por eso después de los conocimientos básicos presentamos una serie de consejos para el jardín de la entrada, que es el que da la bienvenida, para el jardín ornamental y para el huerto, así como una visión general de los utensilios imprescindibles. En todos los casos sus preferencias personales y las condiciones de la situación y el tamaño de su jardín desempeñan un papel esencial.

Todos los consejos que hallará en esta guía se refieren a una aplicación concreta. Una obra que sirva para todos los jardines va más allá de la inagotable variedad de posibilidades que ofrece un jardín. Esta diversidad es la que confiere a la actividad de la jardinería su especial atractivo.

CONOCIMIENTOS BÁSICOS

LA COMPOSICIÓN DEL SUELO

En jardinería son decisivos tanto el tipo de suelo del que se dispone como el modo en que se trata. El suelo dará a las plantas el alimento y la energía que necesitan para desarrollarse. En qué medida lo haga dependerá de su estructura y de su composición química.

Incluso el jardinero novato poco informado conoce la expresión «sustrato vegetal» y sabe que se trata de la capa más superficial del suelo enriquecida con humus y en la que enraízan las plantas. Pero pocos son capaces de reconocer la composición de la tierra de su jardín. Por eso empezaremos con una pequeña lección sobre el suelo. Para la mayoría de las plantas de cultivo, es decir, las que han sido desarrolladas por el hombre con alguna finalidad, el suelo que presenta las mejores condiciones de crecimiento para las plantas es un suelo ligero, rico en humus, algo arcilloso y arenoso pero poco ácido. Casi todos los suelos se pueden tratar para que con el tiempo cumplan las condiciones mencionadas.

No todas las plantas crecen en cualquier tipo de **suelo**. Por ello para el jardinero es importante saber cómo es el suelo de su jardín. Puede tener un elevado contenido en humus (derecha), ser arcilloso (pág. siguiente arriba) o bien arenoso (pág. siguiente abajo). Todos ellos tienen ventajas e inconvenientes.

Se dice que un suelo es «ligero» cuando tiene un bajo contenido de arcilla mientras que el de arena es alto. A causa de su composición, este tipo de suelo puede secarse con facilidad y por eso es necesario corregir sus características mediante la adición de minerales arcillosos, como la bentonita. Un suelo «compacto» es el que posee demasiados minerales arcillosos y poca arena. Corre el riesgo de acumular humedad o endurecerse y de que aparezcan grietas en caso de sequedad. Para mejorarlo se debe airear y aumentar su permeabilidad mediante el tratamiento regular con arena y compost.

A menudo se habla de un «buen» suelo, habitualmente se designa así la proporción de humus, que es muy importante para su calidad. La mezcla correcta también es relevante: un bajo contenido en humus siempre causa un efecto negativo, pero si es excesivo también será perjudicial. La proporción ideal de humus es una séptima o una sexta parte de la composición del suelo.

Este valor no se consigue con frecuencia, por eso muchos jardineros principiantes adquieren tierra vegetal, lo cual representa un riesgo si no se compra en una jardinería. En este caso es probable que la tierra tenga escaso valor biológico y sea arcillosa. Cuando le suministren la tierra tenga en cuenta que debe ser lo más oscura posible, lo cual indica que posee una elevada proporción de humus.

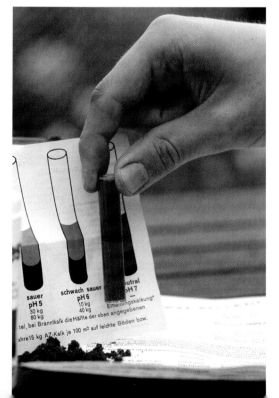

Finalmente un punto muy importante: ¿su suelo es ácido o alcalino? Para averiguarlo es necesario determinar el pH mediante kits de análisis. Un suelo neutro tiene un pH de 7, los valores superiores se consideran básicos o alcalinos e indican un alto contenido en cal. Los valores inferiores a 7 son ácidos y muestran que el suelo es rico en humus y arenoso. Para corregir las variaciones, añada fertilizante a base de turba que aumentará el valor ácido. Para reducir dicho valor utilice fertilizante calcáreo. Un suelo con un pH de 6,5, es decir, ligeramente ácido, se considera óptimo para el cultivo de numerosas plantas.

Para la calidad del suelo el valor ácido es tan importante como su composición. Los kits de análisis (izquierda) para determinar el pH del suelo se pueden adquirir en comercios especializados.

13

MULLIR, FERTILIZAR, REGAR

Al contrario que el campesino que trabaja en grandes extensiones de terreno, el jardinero se puede ocupar con esmero de cada metro cuadrado de su suelo. Para ello utiliza diversas técnicas que es importante aprender correctamente. Es necesario saber en qué medida se debe mullir, fertilizar o regar la tierra.

Cualquiera puede regar, mullir o **fertilizar** la tierra, piensa el jardinero principiante. Pero precisamente al realizar estas sencillas operaciones es fácil cometer errores que perjudicarán el crecimiento de las plantas, pues ni todas ellas ni todos los suelos tienen las mismas necesidades.

El objetivo que se persigue al mullir la tierra es esponjar bien sus capas superficiales, ya que éstas son el espacio vital de las raíces y por lo tanto necesitan aireación. Sin embargo no todos los jardineros están de acuerdo en este punto; algunos opinan que estas formas de tratamiento del suelo son necesarias cuando se crean arriates, parterres y prados mientras que otros creen que es mejor prescindir de ellas.

¿Por qué? Al mullir la tierra con la pala quizás llegue a capas profundas del suelo en las que no hay pequeños seres vivos ni otros microorganismos. Esa tierra quedará en la superficie mientras que las capas de tierra rica en el humus, que es decisivo para el crecimiento de la planta, quedarán enterradas debajo. Por eso cabe recordar que cuanto más delgada sea la capa de humus y más ligero sea el suelo, menor intensidad se deberá aplicar al mullir el suelo. En cambio, los suelos limosos profundos no resultan perjudicados.

Si el suelo de su jardín es muy limoso o la capa de humus es muy profunda, lo más aconsejable es mullir la tierra en otoño. Durante la época fría del año debe dejar los terrones enteros y las heladas se encargarán de efectuar una parte del trabajo de desmenuzamiento. El abono a base de

turba o compost se puede incorporar a la tierra mientras se está removiendo; se recomienda hacerlo sobre todo en los suelos arcillosos. Este tipo de suelo también necesita arena. En superficies cubiertas de malas hierbas es preferible utilizar un rastrillo en lugar de una pala, pues permite recoger más fácilmente las plantas que han sido cortadas.

Respecto a la fertilización cabe decir que las plantas absorben de la tierra las sustancias nutrientes que necesitan; para compensar la falta de éstos no basta con cambiar de planta en la siguiente cosecha. El cultivo intensivo exige un aporte adicional de fertilizantes. Se desaconseja utilizar abonos químicos porque aunque las plantas reaccionan a ellos con un crecimiento excepcional también se vuelven más sensibles a los parásitos y a las enfermedades. Además el nitrógeno y los fosfatos que no son absorbidos por las plantas acaban en las aguas freáticas. Opte por el compost y los fertilizantes orgánicos, que lentamente se convierten en humus y refuerzan la resistencia de las plantas. El humus verde también forma parte de esta categoría.

Para finalizar hablaremos del agua: un riego incorrecto, por ejemplo a pleno sol, puede originar daños importantes. El riego excesivo puede generar demasiada humedad si no se ha previsto la evacuación adecuada del agua; como consecuencia se pudren las raíces y la planta puede llegar a morir. Antes de regar compruebe con la mano la humedad del suelo a unos centímetros de profundidad. Y tenga en cuenta estos dos consejos: en los cultivos de verduras riegue la tierra y no la planta; regar con la manguera es muy cómodo pero conveniente, puesto que la fuerza del agua puede arrastrar el humus.

Para mullir una superficie cubierta de malas hierbas se recomienda utilizar el rastrillo (arriba).

La regadera es un utensilio indispensable en el huerto (izquierda). Se debe regar la tierra y no las plantas.

El **compost** natural hecho por usted mismo es el mejor porque es un abono natural muy rico en sustancias nutritivas. Si tiene espacio en su jardín no debería prescindir de él. Tanto el contenedor de compost (derecha) como el termocompostador (pág. siguiente) son las soluciones ideales para reciclar los desechos de la cocina y del jardín.

EL COMPOSTAJE

Todo jardinero responsable debería tener en su jardín un lugar, un contenedor o un cajón para el compostaje de los desechos orgánicos de la cocina y del jardín. La descomposición planificada de material orgánico proporciona un fertilizante de gran valor y muy apropiado para los cultivos.

Los jardineros copiaron hace mucho tiempo el procedimiento de la naturaleza: donde se almacenaban desechos se observaba una germinación y un crecimiento especialmente intenso de cereales. El hombre aprovechó los beneficios de este fenómeno integrando desechos en las plantaciones y aprendió que un determinado grado de descomposición es particularmente fructuoso.

Pronto el hombre también se dio cuenta de que el proceso de descomposición se aceleraba al añadir al compost ciertas sustancias como abonos cálcicos y desechos vegetales. Además la disposición de las materias en capas según sean gruesas o finas, duras o blandas, procedentes de animales o vegetales favorece aún más la descomposición. Es importante no añadir al compost plantas enfermas ni carne, pescado o queso; este tipo de desechos se deben quemar o tirar a la basura.

La humedad es un punto decisivo en el proceso del compostaje, por eso la pila de compost nunca debe estar a pleno sol. Tampoco la humedad excesiva es beneficiosa porque no favorece la descomposición sino la podredumbre. Si la pila de compost está demasiado seca corre peligro de incendio; como puede observar la temperatura adecuada es decisiva. Y un último consejo, si quiere acelerar el proceso remueva regularmente el compost para que las capas inferiores se desplacen hasta la superficie y el material del interior hacia el exterior. También es posible adquirir productos que aceleran el compostaje aunque éstos no son imprescindibles, como demuestra la propia naturaleza. A más tardar después de dos años el compost estará preparado.

Para obtener resultados aún mejores dispone de un aliado en la naturaleza: la lombriz de tierra. Cuantas más haya en su compost, mejor será la calidad del humus, pues los desechos de la digestión de este gusano proporcionan las mejores sustancias nutritivas. Éste es otro de los motivos por los que es importante la humedad: la lombriz huye de los lugares secos aunque tampoco se quiere ahogar, por eso el nivel de humedad se tiene que mantener dentro de unos límites.

Si su jardín es muy pequeño quizás la pila de compost ocupe demasiado espacio. Sin embargo se pueden adquirir contenedores de plástico que son muy prácticos; los de madera también lo son y los puede hacer usted mismo.

Para un contenedor cuadrado hecho de listones basta un metro de longitud por un metro y medio de altura. Frente a la pila de compost tiene la ventaja de que el compost no se desborda por los lados, pero la desventaja de que la aireación es peor. No obstante el resultado será satisfactorio en ambos casos. El compost ya listo es bastante compacto, por eso necesitaremos una criba para separar el abono más fino de las partes más gruesas que no estén descompuestas por completo y trozos de ramas que servirán de base para una nueva pila de compostaje.

Gracias a su estructura, el termocompostador (arriba), que dispone de orificios de ventilación, crea el clima ideal para la obtención rápida de compost.

Quien prepare por primera vez una pila de compostaje se asombrará de la variedad de desechos de la cocina que son idóneos para la descomposición (izquierda).

SEMBRAR, PLANTAR, TRASPLANTAR

Como bancal de sembrado se designa la superficie que se prepara para la siembra.
Puede estar en un invernadero, en una cajonera o en el suelo al aire libre. En otoño ya
se puede empezar a trabajar la tierra para que el arriate esté listo en primavera: ahueque
el suelo y deje que la naturaleza haga el resto en invierno.

La ilusión por sembrar y plantar no es suficiente: también para la primera actividad que hay que realizar en el jardín existen buenos consejos y utensilios que facilitan el trabajo. Por ejemplo, el rodillo de semillas o la práctica cinta que contiene las semillas a la distancia adecuada y que se coloca en el surco para plantar.

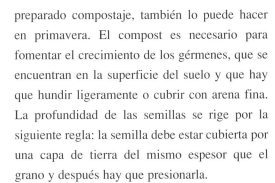

La naturaleza también endurece la superficie; las lluvias y las heladas contribuyen a ello, por eso en primavera se debe airear y aplanar la tierra. Si en otoño no ha preparado compostaje, también lo puede hacer en primavera. El compost es necesario para fomentar el crecimiento de los gérmenes, que se encuentran en la superficie del suelo y que hay que hundir ligeramente o cubrir con arena fina. La profundidad de las semillas se rige por la siguiente regla: la semilla debe estar cubierta por una capa de tierra del mismo espesor que el grano y después hay que presionarla.

La distancia adecuada entre una semilla y otra depende obviamente, para las plantas que no se trasplantan (*véase* más abajo), del tamaño que alcanzarán cuando sean adultas. En el caso de las plantas que se trasplantan, al principio pueden estar más juntas, pero una vez han germinado hay que prestar atención para que no aparezca moho.

Si cultiva plantas a partir de semillas obtendrá numerosos ejemplares por poco dinero, a menudo más de los que realmente necesita. Este tipo de cultivo exige más trabajo que el de las plántulas. Si dispone de buenas semillas puede estar seguro de obtener plantas relativamente resistentes a los parásitos y a las enfermedades.

Si utiliza semillas muy pequeñas, mézclelas con arena fina para poder esparcirlas mejor y evitar

que crezcan muy juntas unas de otras en el bancal. Otras semillas son tan grandes que se pueden sembrar solas en el arriate, en el caso de las verduras del huerto se recomienda sembrarlas en hileras. Algunas plantas cultivadas en invernadero o en interior se trasplantan después directamente en la tierra. Si se trata de plantas delicadas espere hasta mediados de mayo para plantarlas en el exterior para evitar las heladas. Antes de plantar en el jardín las plantas cultivadas en macetas póngalas en agua y después introdúzcalas en hoyos preparados previamente y acondicionados con compost para asegurarse de que arraigan bien.

Como ya hemos mencionado, las plantas cultivadas en cajoneras pueden estar muy cerca unas de otras. Al trasplantarlas a macetas o a la tierra es fácil separarlas. La distancia entre ellas depende de cada especie y se puede determinar mediante una barra de madera con la que se hacen los agujeros en la tierra. Hoy en día existen también prácticos y modernos métodos como las cintas de semillas con las que se ahorra mucho trabajo; las semillas ya están dispuestas en ellas con la distancia adecuada.

La mejor tierra para plantar semillas es una mezcla de arena, tierra y compost (arriba). Separación de plántulas para el trasplante (abajo).

MANTENIMIENTO DEL CÉSPED

Muchos jardineros no pueden prescindir de las superficies de césped tupido y corto que estructuran el jardín y ofrecen mullidas zonas de reposo. Pero para mantener el bello aspecto y la resistencia de este monocultivo amenazado por las malas hierbas es necesario dedicarle cuidados de forma constante.

El césped es tan **resistente** como práctico, pero precisa cuidados continuos. El jardinero se acostumbra en seguida a cortar y regar el césped, sobre todo en verano. Pero si la alfombra verde debe crecer tupida y abundante no se deben olvidar también los fertilizantes y el escarificado de forma regular.

A pesar del trabajo que requiere la creación y el mantenimiento de pequeñas superficies de césped, éste no presenta mayores dificultades. Una condición indispensable es que el suelo esté ahuecado, aireado y exento de raíces de malas hierbas. En caso contrario podrían aparecer zonas pobres de mal aspecto en la alfombra verde a causa de la acumulación de humedad o de la aparición de plantas indeseadas. Según la prisa que tenga en disfrutar de su césped puede escoger entre el césped en tepes (en rollos o planchas) o las semillas de distintos tipos de césped. La primera opción es más rápida, sencilla y resistente, pero sus costes son también más elevados que los de las tradicionales semillas.

Después de sembrar se deben presionar con fuerza las semillas contra el suelo, lo cual se puede hacer con la ayuda de un rodillo o mediante tablas que se fijan a los pies. Las tablas deben ser lo suficientemente anchas porque si son estrechas ejercen demasiada presión y el suelo se compacta. Si realiza esta operación cuando llueve ligeramente, el agua de lluvia será un ayudante ideal, si no deberá emplear un aspersor.

Una vez que la hierba haya brotado deberá cortarla una vez por semana para conseguir la densidad adecuada. Si la

hierba cortada no es muy larga se puede dejar en el suelo para que se descomponga, pero en caso contrario es necesario recogerla, pudiéndose utilizar para el compostaje. Durante el primer año la mejor altura de corte es de 4 cm, y después de 3; en el último corte del año puede ser aún más reducida. Pero cortar el césped no lo es todo, pues un monocultivo no se autoabastece: necesi-

ta abonos especiales que proporcionen al suelo potasa, fósforo y nitrógeno. Cortar, fertilizar y, en épocas secas, regar el césped son cuidados indispensables para que su belleza sea duradera. Sin ellos su césped se puede convertir rápidamente en un prado de malas hierbas. Para luchar contra ellas y prevenir su aparición es necesario desherbar regularmente. El musgo es una señal de que el suelo es muy compacto, para compensarlo se debe escarificar en primavera.

Algunos jardineros prescinden del césped porque no lo consideran ecológico a causa de su escaso valor como biotopo para pequeños seres vivos. No se puede negar que tienen razón, pero para las familias con niños el césped es quizás el único espacio resistente para jugar y reposar. Los motivos estéticos para plantar las islas verdes entre el huerto y el jardín ornamental también son numerosos. El único argumento en contra, aparte del aspecto ecológico, es el duro trabajo que supone cuidar el césped durante casi todo el año.

En las largas fases secas del verano el aspersor de césped (arriba) se convierte en el utensilio más importante para el jardinero.

Al ser un monocultivo, el césped necesita nutrientes adicionales y fertilizantes (abajo derecha).

21

PARÁSITOS Y MALAS HIERBAS

Los métodos naturales para combatir los animales y las plantas perjudiciales son preferibles a las «armas químicas». Cualquiera que tenga conocimientos mínimos de jardinería lo sabe. Sin embargo a veces es difícil prescindir del todo de ellas, pero sólo se deben utilizar cuando sea absolutamente necesario.

La naturaleza ofrece muchos métodos para deshacerse de los huéspedes indeseables del jardín. Por ejemplo bandas de cola (abajo) para proteger a los árboles frutales o la maceración de ortiga. Si conoce bien los métodos naturales rara vez tendrá que recurrir a los productos químicos.

Por lo tanto para proteger a sus cultivos de cualquier riesgo siempre tendrá prioridad la lucha biológica. Sólo se deberá recurrir a los productos químicos cuando hayan fracasado los métodos naturales. No obstante algunas veces ni siquiera los productos químicos producen el efecto deseado. Como resultado del uso indiscriminado en el pasado de algunos productos para combatir parásitos, los pesticidas, y los herbicidas para luchar contra las malas hierbas, algunas especies se han hecho resistentes a ellos. Éste es otro motivo por el que sólo se

deben utilizar en casos estrictamente necesarios. Todo lo que necesita para luchar contra animales o vegetales indeseados lo puede encontrar en su jardín o en los comercios especializados a precios económicos. Además de tomar medidas tales como desherbar con la azada hay utensilios mecánicos como las bandas de cola, que se colocan alrededor del tronco de los árboles frutales e impiden que los parásitos e insectos lleguen a la copa del árbol. También existen redes y velos que protegen las cosechas del ataque de los pájaros y de las moscas.

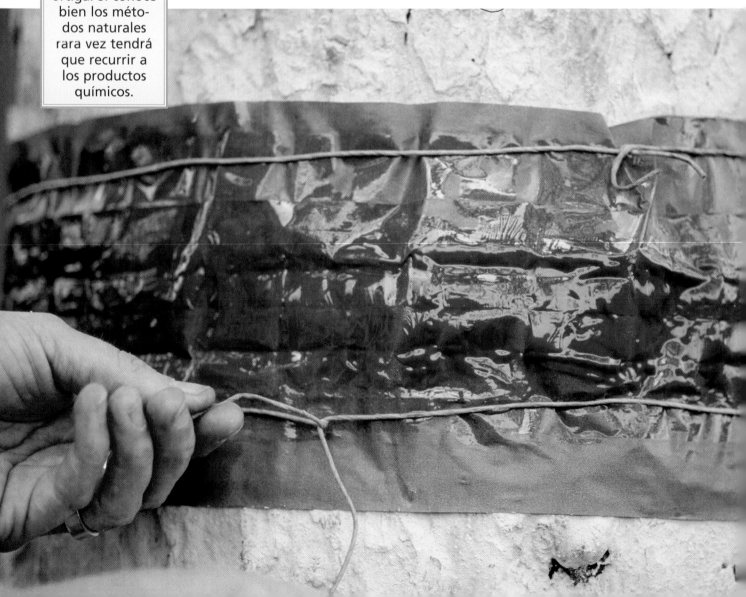

ayuda una malla metálica alrededor de los bulbos; ésta impide el acceso de los campañoles y no supone ningún problema para las raíces. Para luchar contra caracoles y babosas algunos jardineros aún utilizan las trampas de cerveza, pero las alambradas que se pueden obtener en los comercios especializados son mucho más fiables.

En cuanto a los métodos naturales vegetales cabe destacar la maceración de la ortiga así como las infusiones de ajenjo y otras plantas. Con la ortiga, habitualmente considerada una mala hierba, se puede preparar mediante fermentación un abono líquido que desprende un olor muy desagradable –por eso se debe preparar lejos de la casa– pero que diluido en una proporción de una medida de líquido por diez de agua, es muy eficaz contra muchos parásitos de las raíces. Al mismo tiempo es un estupendo abono para las plantas.

No debe olvidar al resto de sus aliados: las mariquitas libran a sus plantas de todo tipo de pulgones, y los pájaros que anidan en el jardín devoran, sobre todo en los períodos de incubación, todo tipo de orugas, ácaros, pulgones y gusanos. A la crisopa también le encantan los pulgones, mientras que los erizos y los sapos prefieren alimentarse de caracoles y babosas. A todos ellos les debe ofrecer setos vivos para vivir e incubar.

El abono líquido obtenido por la maceración de ortiga (izquierda) no es nada agradable para el olfato. Pero su efecto es doble: no sólo elimina a los parásitos de las raíces sino que también es un excelente fertilizante natural.

En lugar de luchar contra los parásitos puede favorecer el crecimiento de sus enemigos naturales: por ejemplo ofreciendo una «vivienda» (abajo) a la crisopa, que se alimenta de pulgones.

Un invento reciente, que viene a ser una versión para el jardín de las célebres cintas atrapamoscas, son unos pequeños paneles azules o amarillos impregnados de cola que atraen irresistiblemente a determinados insectos, como los pulgones y las moscas. Los insectos aterrizan en seguida en estas «pistas» pegajosas. Contra enemigos de mayor tamaño como los ratones de campo es de gran

ESQUEJES E INJERTOS

Aunque acudir al vivero más cercano es siempre la solución más fácil, también es la más cara. Según lo que desee para su jardín deberá plantearse si es preferible cultivar y multiplicar sus propias plantas. No sólo ahorrará dinero, sino que también disfrutará del éxito.

La capacidad de **dar vida** a una nueva planta a partir de cualquier trocito de raíz puede convertirse en una pesadilla para el jardinero cuando se trata de malas hierbas. Sin embargo, este poder casi mágico puede ser muy útil para multiplicar plantas ornamentales sin problemas ni costes.

no siempre son genéticamente puras y provocan lo que se conoce como hibridación o producción de seres híbridos.

Como esquejes se utilizan fragmentos cortados de la planta, tales como hojas, retoños o ramas. Para que echen raíces hay que enterrarlos o ponerlos en agua o en una solución nutritiva. La técnica más adecuada depende de la robustez de la planta: los esquejes plantados en la tierra forman rizomas que pueden resultar perjudicados al trasplantarlos. Los esquejes que ya han echado raíces se pueden plantar directamente en el lugar previsto para ello.

En algunos casos se pueden utilizar los llamados «esquejes de raíz». Muchos jardineros han podido constatar la fastidiosa capacidad que poseen las raíces de algunas plantas (agropiros, francesillas o galinsogas) para dar vida a una nueva planta a partir de cada parte cortada. Esto sucede también con ciertas plantas ornamentales, como la yuca o el corazón de María.

Para mejorar el rendimiento de los árboles frutales o la floración de los rosales, los jardineros desarrollaron hace mucho tiempo un método sorprendente: el injerto, que consiste en dejar crecer parte de la planta deseada con una o más yemas sobre un patrón más resistente o insensible a ciertas enfermedades, o sencillamente que crezca con más facilidad. Dependiendo de sus objetivos como jardinero este asombroso método le resultará muy satisfactorio pero también muy complicado desde el punto de vista técnico, ya que exige determinados conocimientos y cierta experiencia. Existen muchas técnicas de injerto dependiendo de la especie.

Del mismo modo que en el caso de la multiplicación, es posible conseguirlo todo excepto el orgullo y la satisfacción de haberlo hecho usted

La reproducción de las plantas puede ser sexual o vegetativa, es decir, mediante la fecundación y formación de semillas o mediante esquejes o rizomas. Algunas plantas pueden multiplicarse de ambas maneras, pero, por ejemplo en las plantas vivaces, es preferible la reproducción vegetativa porque las semillas

*Para injertar árboles
frutales es necesaria
cierta experiencia:
la planta deseada (un
cerezo en la imagen de
la izquierda) es injertada
sobre el patrón.*

mismo. Al fin y al cabo de eso se trata, además del éxito de la cosecha o de las flores del jardinero que hace sus propios injertos. La planta y el patrón deben estar cortados limpiamente y las superficies de corte desinfectadas. Se recomienda que éstas sean de la misma medida para obtener los mejores resultados. Después de colocar ambas partes en su lugar, se atan con rafia o con cinta adhesiva especial y se recubren con cera para protegerlos de la desecación. Las zonas de injerto también deben estar bien protegidas en invierno.

*Al injertar árboles
frutales (un ciruelo
en la imagen de abajo)
las superficies de corte
tienen que estar bien
desinfectadas antes de
colocar una sobre otra
y unirlas con cinta.*

PODAR ÁRBOLES Y PLANTAS

Existen numerosas razones para podar las plantas del jardín, y en particular los arbustos: estimular la producción de flores y frutos, dar forma a la planta, renovarla y vigorizarla, eliminar partes enfermas o muertas, limitar el crecimiento, fortalecer el tronco, aclarar, airear e iluminar las ramas.

Al **podar** sus plantas debe tener en cuenta varios factores: el momento adecuado, el punto de corte correcto y, sobre todo, el utensilio para podar. La podadera o el cuchillo deben estar bien afilados, en caso contrario no se conseguirán los efectos positivos deseados.

Pero ¿cómo se poda correctamente? La primera regla fundamental es que los cortes deben ser lisos, por lo que es necesaria una herramienta muy bien afilada. Los bordes deshilachados o fragmentos sueltos ocasionados por cortes que no son limpios pueden morir y poner en peligro el éxito de la poda.

La segunda regla a tener en cuenta es que cuanto más corto se poda mayor será la reacción de la planta. No obstante la planta también se puede morir si se corta demasiado, por eso existe una tercera regla muy importante: la longitud del corte debe equivaler a una tercera parte de los brotes.

Para que la poda sea correcta es importante saber cuándo utilizar la podadera o el cuchillo. La poda más importante es la que se realiza en invierno, en la pausa de vegetación. En algunos casos es mejor podar en otro momento, dependerá de cada planta; para averiguarlo consulte a un profesional o alguna obra especializada. Los arbustos resisten la poda de una tercera parte de su tamaño; con los árboles hay que tener más cuidado; en ningún caso se deben cortar las ramas hasta el tronco. Las plantas que hayan crecido demasiado no se tienen que reducir al tamaño

A veces es necesario cortar ramas de los árboles para favorecer el crecimiento de la copa. El corte se debe hacer de forma paralela al tronco y no hay que dejar muñones (arriba izquierda).

Cuando se poda una rama con una sierra no se puede evitar que se «deshilache». Por eso es necesario usar después un cuchillo bien afilado (centro).

Para acelerar la curación de la herida del corte y evitar infecciones es conveniente protegerla con pasta selladora especial (abajo izquierda).

Acontinuación les mostramos cuatro importantes consejos prácticos a tener en cuenta: los cortes siempre se deben hacer sin miedo sobre un brote sano. Los cortes deben ser oblicuos, es decir, paralelos a la dirección de crecimiento; de este modo se reduce el riesgo de dañar un brote. Si se utiliza por error una podadera poco afilada es necesario corregir el corte con un cuchillo bien afilado para evitar que se aplasten las fibras. Las áreas de corte muy grandes se tienen que proteger con cera especial para árboles para evitar que las bacterias penetren por ellas o enfermen por la podredumbre.

deseado de una sola vez, sino en etapas durante tres años. Si la planta muestra síntomas de falta de vigor es preferible podar en primavera, para poder determinar con seguridad qué ramas hay que suprimir.

Si el objetivo de la poda no es rejuvenecer la planta sino estimular la floración, la época adecuada para podar será otra. Se distinguen dos grandes grupos: los arbustos de floración precoz (a finales del invierno o principios de la primavera) que deben podarse inmediatamente después de la floración; y el jazmín, la forsitia y algunas otras que se podan después de que las flores se hayan marchitado. Para las plantas que florecen a finales del verano la época adecuada para podar es el invierno. A esta categoría pertenecen los rosales de verano, los *Caryopteris clandonensis,* las lilas de verano y las espireas.

El **viento** fuerte es una amenaza para las plantas, en particular para las recién plantadas, ya que se pueden doblar e incluso ser arrancadas. Por eso es importante sujetarlas a un soporte; para ello existen diversas soluciones.

TUTORES Y PARAVIENTOS

Los árboles recién plantados, las plantas vivaces altas y algunas verduras corren el riesgo de ser arrancados por el viento. Durante el crecimiento estas plantas deben apoyarse en tutores. El tutorado es determinante cuando el peso de los frutos o de las flores intensifica los efectos del viento o de la lluvia.

Las plantas leñosas son menos sensibles pero durante el período de crecimiento también necesitan protección del viento mediante tutores u otros sistemas para no ser afectadas por el mal tiempo. Los árboles o arbustos adultos casi nunca necesitan este tipo de protección, pero algunos árboles frutales producen tantos frutos que es necesario proteger sus ramas. Los brotes que se han doblado o las ramas rotas no tienen salvación y por lo tanto hay que cortarlos.

¿Con qué se atan las plantas? Para los arbustos existen cintas especiales de longitud y elasticidad suficientes para un uso temporal. Para las plantas vivaces o los tomates es suficiente utilizar rafia o cuerda de sisal. En los comercios especializados se pueden adquirir tutores o espaldares regulables de plástico muy prácticos.

Si sujeta las plantas con rafia, cintas o cualquier otro material procure que el roce no dañe el tronco. Pase la cuerda en forma de ocho dos veces alrededor de la planta.

En el caso de los árboles y arbustos las siguientes medidas han demostrado su eficacia: el tutor se debe introducir en la tierra antes de plantar el árbol, si no se corre el riesgo de dañar las raíces de la joven planta al clavarlo. Fije el arbolito con una cinta ancha a unos 50 cm del suelo. Para los árboles de gran altura coloque una segunda cuerda más arriba. En lugares muy expuestos al viento puede ser necesario utilizar dos tutores, uno frente al otro y eventualmente unirlos mediante una barra transversal.

Recomendamos utilizar cuerdas regulables para evitar completamente el riesgo de heridas por roce. Estas cintas se pueden regular en cualquier momento de modo que no se estrangulen los troncos a medida que engrosan. En las zonas extremadamente expuestas al viento incluso puede ser necesario sujetar los árboles adultos con alambres tensados por estaquillas clavadas en el suelo. Para evitar heridas en la corteza, proteja los puntos del tronco que están en contacto con el alambre con pedazos de algún material blando como por ejemplo caucho.

Algunas plantas florales, como el jazmín, la buganvilia o muchas trepadoras, también necesitan apoyarse en tutores o espaldares porque por sí solas no adoptarían la posición adecuada y otorgarían a su jardín un aspecto descuidado causado por sus troncos encorvados y sus ramas caídas. Es fundamental dar puntos de apoyo a las plantas antes de que sea necesario, pues si se hace demasiado tarde ya no se podrá recuperar la forma deseada. El rendimiento de la cosecha de algunas verduras aumenta cuando se les da el soporte necesario a tiempo apoyándolas en tutores (guisantes, tomates) o en espaldares (judías verdes).

El tutor se debe introducir en el suelo antes de colocar la planta para evitar dañar las raíces (izquierda).

Para fijar los troncos existen tutores regulables de plástico. Una alternativa más económica son las cuerdas de sisal (abajo), que cumplen la misma finalidad.

VALLAS Y SETOS

Aunque a las líneas de separación entre «tuyo» y «mío» se les da cada vez menos importancia no se puede prescindir de las delimitaciones. La estructuración, la intimidad y la comodidad son tan importantes como la protección contra los intrusos o los peligros. Por eso la cuestión estética adquiere un interés especial.

La **delimitación** del jardín no le exige necesariamente que tome una decisión entre un seto o una valla. La combinación de ambos elementos le ofrece la posibilidad de dar rienda suelta a su imaginación.

Espontáneamente cualquiera diría que un seto vivo siempre es preferible a una valla, sobre todo en el jardín. Sin embargo esta idea puede ser algo precipitada ya que en algunos casos, según las condiciones de éste, es más recomendable una valla. Y no necesariamente será menos atractiva. Existen, por un lado, artísticos vallados de hierro forjado o de madera natural; las de abedul o teca, por ejemplo, son muy decorativas. Por otro lado, la valla no tiene por qué estar «desnuda»; puede servir perfectamente de espaldar para plantas trepadoras y transformarse así en un muro florido.

Las vallas tienen además la ventaja de cumplir su función en seguida mientras que los setos vivos primero tienen que crecer y se les tiene que dar la forma deseada. Pero nada le impide disfrutar de ambas soluciones. En una parte del jardín puede tener una valla que sirva de protección contra miradas indiscretas o contra el viento mientras que en otra puede plantar su seto vivo y esperar pacientemente a que crezca.

La valla también puede ser reemplazada o completada por un seto vivo después del período de crecimiento.

Ambas opciones de delimitación tienen sus ventajas. Todo depende del lugar de que disponga en su jardín: un seto vivo siempre requerirá más espacio que una valla, que a menudo es la solución más adecuada para los espacios reducidos. Como las vallas son una cuestión de bricolaje e interesan al jardinero sólo cuando sirven de espaldar, nos dedicaremos a los setos vivos, que forman parte de la concepción del jardín.

Al contrario que las vallas, los setos vivos son valiosos biotopos. Incluso los que han sido cortados y tienen formas originales ofrecen a los pájaros excelentes lugares para hacer sus nidos, y alimento y protección a los animales pequeños. Esta función la cumplen a la perfección los setos vivos silvestres, que no obstante sólo son interesantes para los jardineros que dispongan de mucho espacio. Se puede controlar el crecimiento de los arbustos frondosos, pero la poda se debe realizar con cuidado para no perder las ventajas que ofrecen desde el punto de vista ecológico. Éstas residen no sólo en el hecho de que el seto silvestre cobija a los aliados naturales del jardinero, sino que también participa activamente en la lucha contra los parásitos.

Tampoco hay que subestimar el doble efecto psicológico que ofrecen los setos vivos: su función de «frontera» no es tan radical como la de las vallas, sobre todo las alambradas. Y además son todo un placer para la vista incluso en pleno invierno, en particular los setos de plantas vivaces como la tuya (árbol de la vida), el boj o el tejo.

Existe gran variedad de setos vivos para delimitar el jardín. Las plantas vivaces, como el árbol de la vida, son la alternativa ideal si no se quiere renunciar al color verde ni siquiera en invierno (izquierda). Si prefiere los setos de follaje intenso le recomendamos el carpe (derecha).

31

CAJONERAS E INVERNADEROS

Como tantas otras veces, se trata de una cuestión de espacio y de dinero. Un invernadero, en función de sus dimensiones, puede suponer un gasto elevado. Al mismo tiempo requiere mucho espacio y trabajo si se quieren explotar todas sus posibilidades. Las cajoneras cubiertas por un bastidor de vidrio vienen a ser una versión económica y en miniatura de un invernadero muy adecuada para los jardines pequeños.

En ambos casos existen a su vez distintos tamaños según el objetivo que han de cumplir y el dinero que se desea invertir. Para muchos jardineros la mejor solución es la cajonera o cama fría aunque se puedan permitir un invernadero grande. A menudo la falta de tiempo es el factor determinante. Si se trata solamente de cosechar mientras hace demasiado frío para los arriates descubiertos, entonces es suficiente una cajonera, que es una estructura de madera u otro material cubierta por una tapa de vidrio o plástico que se puede adquirir en los comercios especializados. También se pueden comprar kits para cajoneras que se montan con poco esfuerzo.

Lo más importante, igual que en el invernadero, es la calidad de la cubierta, que puede ser de vidrio o de plástico, ya que a través de ella penetran los rayos infrarrojos de onda larga, es decir, el calor, que será retenido en el interior. El llamado «efecto invernadero» lo aprovechan los jardineros para cultivar plantas directamente en el suelo y para el cultivo de verduras y hortalizas que se cosechan en la misma cajonera. Para mayor seguridad puede adquirir una «cama caliente» en lugar de una fría, es decir, una cajonera con calefacción para que las heladas intensas no dañen las plantas delicadas o poco resistentes; en febrero las noches aún son muy largas y frías.

Ya sea en la cajonera o bien en el invernadero siempre se debe procurar que haya suficiente ventilación y controlar la aparición de hongos. Cuando el sol brilla durante mucho tiempo se corre el riesgo de que el calor sea excesivo; en este caso es aconsejable disponer de un sistema que proporcione sombra. Las esteras de pleitas o de bambú enrollables y las mallas de sombreo dan buenos resultados. Los cajones además se pueden transportar, por lo que se puede cambiar su emplazamiento en función del sol. La tierra adecuada para cultivar en invernadero o en cajonera es una mezcla de compost, arena y un poco de arcilla.

No siempre es necesario tener un **invernadero**. Si quiere invertir poco tiempo y dinero le recomendamos una cajonera o un semillero.

Si el jardinero se ha decidido por un invernadero (izquierda) tendrá más espacio para las plantas y el trabajo será prácticamente el mismo que en una cajonera.

Un invernadero de madera es muy práctico para el cultivo y la protección de las plantas tropicales en invierno. Además es un elemento muy decorativo para el jardín (abajo).

La elección entre una cajonera y un invernadero no está determinada por la cuestión «jardinera», porque en ambos casos los trabajos a realizar y los objetivos perseguidos son similares. Se trata sobre todo de la cantidad de plantas que necesite cultivar. ¿Desea cosechar grandes cantidades antes de que empiece la temporada? ¿Cuántas plantas le gustaría cultivar? ¿Cuánto trabajo y cuánto dinero puede invertir? Tarde o temprano el jardinero apasionado querrá tener un invernadero, pues el trabajo de jardinería en primavera, cuando la temperatura exterior aún es algo baja, tiene su atractivo. Además, en un invernadero se pueden cultivar plantas tropicales, puesto que ofrece las condiciones óptimas para que pasen el invierno.

ALGUNAS IDEAS

IDEAS PARA JARDINES PEQUEÑOS

Si sólo dispone de un terreno pequeño o de un jardín estrecho y largo en su casa adosada, éstos pueden ser los desafíos que le inspirarán soluciones atractivas. Y no tienen por qué ser necesariamente geométricas. También en los espacios pequeños es posible recrear lo que la naturaleza consigue de manera espectacular: diversidad de colores y formas.

Un jardín pequeño se puede agrandar ópticamente sin dificultad. Para ello sólo necesita un poco de **habilidad** e imaginación, así como las plantas convenientes dispuestas apropiadamente. Y ni siquiera tendrá que renunciar a los árboles.

Para un jardín de dimensiones reducidas y contornos poco favorables a primera vista existen infinidad de posibilidades para todos los gustos. Estructurándolo tanto con elementos verticales como horizontales hará que parezca más grande. Si existen irregularidades naturales en el terreno, puede resaltarlas colocando las plantas adecuadas. Si no es el caso, puede crear pequeños montículos mediante excavaciones y aportes de tierra. Un pequeño estanque rodeado de juncos, algunos escalones o senderos sinuosos subrayarán el contorno del jardín. Y una glorieta o una pérgola decorada con enredaderas atraerá la atención.

Quizás también sea necesario aceptar algunas limitaciones y escoger entre un huerto o un jardín ornamental. Cuando no hay espacio suficiente, ambos tienden a usurpar el lugar del otro y pronto dan una impresión de descuido. Como el espacio es limitado, también lo será la cosecha en el caso de un huerto. Le recomendamos que disponga algunos árboles frutales, puesto que si sólo

planta verduras y hortalizas, éstas pueden resultar poco decorativas. Los árboles confieren altura al jardín y, si los sitúa en los extremos, harán que éste parezca más grande de lo que realmente es. Los setos vivos, que enmarcan y a la vez separan diversos cultivos, producen el mismo efecto. Un seto más alto, destinado a proteger de las miradas indiscretas no afea en absoluto el conjunto. Bien al contrario, sugiere que detrás de él se pueden esconder paisajes desconocidos, aunque sólo se trate de una pequeña terraza florida. Este consejo se puede aplicar tanto a los huertos como a los jardines ornamentales, ya que ambos necesitan una estructura; sin embargo, el huerto sacará más provecho de él puesto que así tendrá un aspecto menos monótono.

Los jardines ornamentales ofrecen más libertad y espontaneidad a la hora de diseñarlos. Aunque la «espontaneidad» también puede planificarse. Si quiere dar a su jardín una apariencia muy natural, la vegetación deberá ser tupida, necesitará plantas o arbustos altos y arriates bajos. Este tipo de jardín exige sobre todo un acento floral y un poco de vegetación durante todas las estaciones. Algunas coníferas y especialmente los setos vivos tienen una

función importante: las plantas perennifolias responden a la necesidad de color durante el invierno mencionada anteriormente. Y además, los setos vivos son un escenario maravilloso para los macizos de flores. Si tiene niños, una superficie cubierta de césped ofrecerá un estupendo terreno de juego. En este caso, los setos vivos deben colocarse en bordura, así servirán para evitar que los balones salgan fuera.

Incluso el terreno más pequeño ofrece el espacio necesario para crear un bonito jardín (arriba). Sin embargo, la elección de las plantas adecuadas es primordial ya que éstas deben disponer de suficiente sitio para desarrollar toda su belleza.

Los setos vivos son una bella alternativa a las vallas convencionales. Si están bien cuidados no sólo ofrecen un atractivo decorado sino que también estructuran el jardín (izquierda). Una vez alcanzada cierta altura, ofrecen asimismo protección ante las miradas indiscretas.

UN JARDÍN DE ENTRADA ACOGEDOR

El habitualmente pequeño terreno a la entrada de la casa forma junto con el portal, el camino que conduce a la casa, la fachada y la puerta principal un conjunto arquitectónico que debe estar en armonía. Como en cualquier encuentro, la primera impresión es decisiva para el visitante: el diseño de esta área le dice mucho sobre qué y quién le espera dentro de la casa.

cabo, puesto que los visitantes indeseados no se dejan asustar tan fácilmente.

Por ello, es importante ajardinar esta zona y los setos de delante de la casa no deben ser demasiado altos. Pequeñas tapias o vallas de madera floridas y setos vivos bajos recortados enmarcando el portal darán la bienvenida al visitante de manera acogedora. Y si el camino de entrada está flanqueado por grandes jardineras de flores o elegantes plantas ornamentales, el corto paseo será muy agradable. Un pequeño camino bordeado de arbustos perennifolios recortados, un árbol elevándose en un arriate, arcos floridos o un césped bien cuidado son también elementos que embellecen la entrada de su hogar.

Las condiciones de luminosidad y la composición del suelo son factores que determinan la elección del tipo de vegetación que se va a plantar. Sin embargo, no existe ninguna condición que impida que el resultado sea atractivo. El suelo se puede enriquecer y adaptar a las plantas escogidas. Y en los comercios especializados encontrará flores y arbustos para todos los tipos de orientación y luminosidad, que darán la bienvenida al visitante o el saludo amistoso al pasante.

Las soluciones universales no existen, como dice el dicho, sobre gustos no hay nada escrito. No obstante, la experiencia ha demostrado que existen ciertos principios que se deben seguir y sobre los cuales queremos informarle a continuación. Sin ningún tipo de vegetación un jardín de entrada resultará frío e intimidante. Aunque ésta sea su intención, le desaconsejamos que lo lleve a

El **jardín de entrada** es la tarjeta de visita del propietario. Si se diseña de manera atractiva, hace que los visitantes se sientan bienvenidos y a la vez marca la frontera con la calle de forma más sutil que las vallas.

Cuanto más sol reciba su jardín de entrada, más florido lo podrá decorar. Muchas de las plantas vivaces más bellas no se desarrollan bien a la sombra y sus flores crecen pálidas por falta de sol. En este caso es preferible optar por la vegetación perenne (boj, coníferas, césped). Con todo, no hay por qué renunciar al color: las jardineras de flores bien situadas bajo la iluminación de la entrada o en sus proximidades alegrarán la vista de los visitantes nocturnos.

Un camino concebido con un poco de imaginación contribuye también a acoger como es debido a las visitas: existen numerosas opciones a la línea recta y monótona y a los pavimentos grises. Por ejemplo, un camino de piedras naturales entre las que crece la hierba hace un efecto mucho más vivo y agradable. La decoración de la puerta de entrada es imprescindible: plantas trepadoras en la fachada o incluso sobre el voladizo del tejado, tiestos de flores en las ventanas o colgados del techo del porche, jardineras flanqueando la puerta... todo aquello que suavice la dureza y frialdad de la piedra será bienvenido.

Una mezcla multicolor (arriba): salvia, espino de fuego y Helictotrichon sempervirens forman un estupendo conjunto ante la puerta de entrada.

Los caminos sinuosos alrededor de la casa y macizos de coloridas flores a sus pies crean una atmósfera mágica.

39

TERRAZAS Y TERRENOS EN PENDIENTE

Cada jardín tiene sus exigencias específicas. Si está en pendiente, deberá superar desigualdades de nivel más o menos importantes. Si está situado en la terraza, se deberán prevenir ciertos aspectos arquitectónicos y de estática, y se habrán de tener especialmente en cuenta las inclemencias del tiempo.

Embellecer con vegetación los **muros** fríos y monótonos de una casa no es difícil. Las plantas trepadoras son muy apropiadas para este fin, pero también se pueden utilizar otras variedades para cubrir la terraza, si la arquitectura del edificio lo permite.

En las regiones montañosas predominan evidentemente los jardines dispuestos en pendiente. Para el observador, estos jardines ofrecen un espectáculo muy pintoresco. Los jardineros que se ocupan de ellos aprecian mucho los elogios, pues sólo ellos conocen realmente la cantidad de trabajo que se ha tenido que invertir en un terreno de este tipo; muy superior a la que exige un terreno llano. Si el desnivel es poco pronunciado, un jardinero inexperto no tendrá mayor problema. Sin embargo, los terrenos extremadamente escarpados tienen otro tipo de exigencias más dificultosas. En este caso, una planificación detallada es indispensable. Es importante calcular con exactitud el grado de desnivel de la pendiente en los diferentes lugares, para decidir cómo y dónde colocar escaleras, escalones o terrazas de manera que se pueda circular por el jardín. Todos los rincones deben ser accesibles, incluso para la carretilla o el cortacésped si fuera posible. Asimismo, si la región es abundante en precipitaciones, la cuestión del drenaje del suelo cobra una importancia crucial. Si no se tiene en cuenta este aspecto, se corre el peligro de que un aguacero arranque y se lleve de golpe la tierra y las plantas.

Los jardines de rocalla son ideales para este tipo de terrenos. Sin embargo, para colocar rocas de gran tamaño es necesario hacer uso de maquinaria pesada y recurrir a una empresa especializada, un incremento económico, por tanto. La estructuración de un jardín de rocalla es muy importante ya que el observador tiene el jardín ante sus ojos en su totalidad. Por otro lado, la base del terreno debe estar apuntalada por medio de empalizadas o muros lo suficientemente robustos para resistir la presión de la pendiente y a la vez permeables para dejar que el agua los atraviese sin arrastrar la tierra.

Un consejo más: disponga las plantas que requieran muchos cuidados en lugares de fácil acceso y asigne los rincones casi inaccesibles a árboles, setos vivos silvestres y otros tipos de arbustos. En resumen, todo aquello que deba ser podado, escardado o recolectado requiere vías de fácil acceso.

Las dificultades son menores cuando se trata de un jardín en la terraza, sobre todo si está constituido en su mayor parte a base jardineras, tiestos y macetas de flores. Si escoge elementos móviles (con ruedas) podrá ponerlos al abrigo cuando las condiciones meteorológicas sean extremas. No olvide crear zonas de sombra, pues aunque la mayoría de las plantas agradecen la luz solar, algunas de ellas sólo la toleran de forma moderada.

Si lo que desea es una plantación directamente sobre el suelo de la terraza, deberá tener en cuenta ciertas normas de seguridad, especialmente para el desagüe. No se aventure sin haber consultado antes a un profesional. Una vez tomadas todas las precauciones necesarias, este proyecto ofrece sólo ventajas: un jardín con vistas panorámicas y a la vez un excelente aislante térmico.

No todo el mundo tiene la suerte de tener su propio jardín. Pero también en la terraza (arriba) es posible crear verdaderos oasis de vegetación, que no tienen nada que envidiar a un jardín a ras de suelo.

Un terreno situado en una pendiente escarpada es perfectamente apropiado para un jardín rico en diversidad y color. Sin embargo, requiere una buena planificación para garantizar el acceso a todos sus rincones.

EL ESTANQUE

No es necesario ser tan intransigente como algunos apasionados del agua, para los cuales un jardín sin una zona acuática no es un verdadero jardín. Lo que sí es cierto es que un estanque, una fuente, un pozo o incluso una simple jardinera con nenúfares flotando lo embellecen notablemente. La solución adecuada para cada tipo de jardín depende de diversos factores.

El **agua** da vida al jardín, ya sea un riachuelo, un estanque o una fuente. Un estanque añade un toque especial y ofrece las condiciones idóneas para muchas plantas y animales acuáticos.

Si se dispone de espacio suficiente se puede crear incluso un jardín acuático con todos sus detalles. En un jardín más pequeño siempre hay un rincón para un estanque, y si el espacio es verdaderamente reducido, una fuente, un pozo o una pila con cascada sobre un lecho de grava encuentran siempre su lugar. En cualquier caso, ningún jardinero tiene porqué renunciar a este aporte de vida suplementario. En la mayoría de los jardines se opta por la solución intermedia: el estanque prefabricado o de láminas de plástico. Para ambos tipos es necesario excavar la tierra. La lámina de plástico (polietileno o PVC) ofrece más flexibilidad en lo que se refiere a la forma, pues se adapta a cualquier tipo de contorno y profundidad. Los estanques prefabricados pueden ser de diversos materiales, desde el plástico hasta el cemento, pasando por la fibra de vidrio. Le recomendamos que escoja uno escalonado, así podrá disponer plantas de diferentes tamaños y también le facilitará la limpieza.

Si se decide por un estanque de lámina de plástico, tendrá más libertad a la hora de decidir el diseño, sin embargo tendrá que considerar ciertas cuestiones de gran importancia. La realización de la orilla (inclinada, para evitar el riesgo de hielo) y la creación de áreas de diferente profundidad se deben planificar a conciencia. Se debe escoger bien el lugar donde se va a instalar el estanque, lejos de los árboles, ya que sus raíces podrían dañar la lámina de plástico. Antes de colocarla se deben retirar las piedras angulosas de la zona.

El tamaño de la lámina de plástico depende del volumen de la tierra extraída del suelo y su grosor no debe ser inferior a 0,5 mm. Es preferible adquirir el doble de lámina y colocarla doblada. Así, podrá caminar por encima de ella sin riesgo y no se producirán fisuras durante muchos años. Si necesita varias tiras de lámina de plástico, suéldelas *in situ*, la lámina doble es tan pesada que no podrá transportarla.

A ser posible, intente excavar un metro de profundidad por lo menos; es la medida mínima para poder poner peces. Éstos son muy recomendables para deshacerse de los mosquitos, pues se alimentan sobre todo de sus larvas. Escalone el fondo para crear un paisaje acuático diversificado, con espacios a diferentes niveles donde puedan refugiarse los peces y las ranas. Sin embargo, éstos también necesitan oxígeno, lo que representa un gasto adicional.

Le recomendamos una mezcla equilibrada de plantas altas de orilla y plantas acuáticas a diferente profundidad. La orilla deberá tener algunas zonas firmes para acceder con seguridad a la hora de realizar los cuidados del estanque, pero también por motivos estéticos: una pequeña «playa» de grava puede completar de forma maravillosa el conjunto.

Plantas de orilla y acuáticas, grava o arena, quizás una pequeña pasarela que conduzca hasta el agua. Las posibilidades para diseñar un estanque de jardín son infinitas.

ARMONÍA DE PIEDRAS Y FLORES

Se dice que los polos opuestos se atraen. Y esta ley es aplicable también a los jardines. Cascadas de flores sobre muros, hierbas que brotan entre las piedras, rocas cubiertas de musgo... el atractivo de estas alianzas reside en el contraste que ellas presentan. En un jardín se puede imitar a la naturaleza de manera aún más intensa.

Los jardines de **rocalla** son muy apreciados: la armonía entre piedras y plantas, los senderos pavimentados con piedra natural que serpentean a través del jardín y el pequeño estanque o fuente crean maravillosos espacios que invitan a pasear o reposar en ellos.

En principio, la creación de una rocalla es posible en cualquier tipo de terreno, aunque aquéllos en pendiente son particularmente indicados. Sin embargo, en un terreno llano también se puede crear una pequeña elevación artificial, por ejemplo utilizando la tierra que se ha obtenido al excavar el estanque. Tras haber apilado la tierra, ésta se cubre de guijarros y se reviste con las plantas adecuadas. Algunas piedras grandes reforzarán el efecto natural.

Uno de los puntos más importantes que se debe considerar antes de empezar a construir el «jardín alpino» –como algunos bautizan a la rocalla– es el acceso. Para poder llegar a todos sus rincones sin dificultad, se deben construir caminos, a veces escalones, puntos de apoyo o incluso pequeñas escaleras. Una vez definida la «red de circulación» se puede empezar con la disposición de las piedras. Ellas constituyen el sustrato para las plantas y brindan un escenario de particular belleza y naturalidad si provienen de los alrededores. Algunas piedras más exóticas también serán bienvenidas por el contraste que ofrecen.

Después de las piedras, les llega el turno a las plantas vivaces de pequeño tamaño, que formarán macizos, borduras, alfombras y brotarán de las grietas y los huecos de las rocas. Son ellas las que darán el carácter fundamental a la rocalla, puesto que las plantas altas son poco comunes en las verdaderas regiones montañosas. Claro que algunos elementos decorativos de mayor altura no están de más: algunas plantas de tallo largo ondeando al

La creación y el cuidado de un jardín de rocalla (izquierda) requiere cierto esfuerzo, pero la recompensa merece la pena.

Las magníficas flores del rosal trepador (abajo) están en perfecta armonía con la piedra natural del muro por el que ascienden.

viento, unos juncos en la orilla del estanque, o incluso algunos arbustos y coníferas en bordura harán de telón de fondo para el espectáculo floral.

En un entorno aparentemente hostil como es la roca, las pequeñas plantas multicolores representan la irrefrenable voluntad de vida de la naturaleza. La gama comprende todas las variedades, desde las especies desérticas hasta aquellas que prefieren los suelos pantanosos. Para alimentar a las plantas de rocalla es suficiente una tierra rica en compost. Pero existen variedades alpinas que se contentan con tan poco que pueden alcanzar magnitudes casi monstruosas si se encuentran en una tierra abonada. Esto se deberá evitar para no romper la sensación de composición natural que se persigue.

El jardín de rocalla se debe escardar con regularidad para eliminar las plantas indeseadas. Con el tiempo, esta tarea será cada vez menos necesaria, ya que las plantas cubresuelo se extenderán ocupando el lugar de las intrusas. Las enfermedades y los parásitos sólo constituirán un problema si su jardín no está bien cuidado y si no existe un buen sistema de drenaje del suelo. El mantenimiento de un jardín de este tipo requiere cierto esfuerzo, pero no se arrepentirá ya que la recompensa superará siempre sus expectativas.

LOS ROSALES

Cuanto más bonito desee que sea su jardín, más esfuerzo tendrá que invertir; y las rosas se cuentan entre las flores más bellas. Pero para el auténtico amante de las flores, su cuidado nunca supondrá un esfuerzo. Sólo la expectativa ante el resultado es recompensa suficiente y al final uno no sabe si resplandece más el jardinero o la rosa.

En el marco de una breve exposición, queremos darle a conocer los puntos clave de la poda del rosal. Empecemos por la eliminación de las flores marchitas. Esta operación debe realizarse con sumo cuidado, de lo contrario generará la producción de semillas, efecto raramente deseado. Generalmente se persigue todo lo contrario, puesto que con ello la planta consume demasiada energía en detrimento de su crecimiento. Si esta tarea se realiza con regularidad, el rosal producirá una segunda corola.

Y así llegamos al tema de la poda del rosal en general. Esta operación tiene una importancia primordial en el cuidado del rosal, con opiniones controvertidas entre los expertos. Unos estiman que el período de inactividad, es decir, el invierno, es la mejor época para la poda. Otros refutan esta opinión argumentando que las heladas podrían perturbar el crecimiento del nuevo brote. Lo mejor es dar la razón a ambos bandos y podar en noviembre alrededor de un tercio para que los tallos no se vean dañados por las

> Las **rosas** no se cuentan entre las flores más fáciles de cuidar. Sin embargo, su increíble diversidad de variedades y de especies hace latir el corazón de todo jardinero: el esfuerzo merece realmente la pena.

inclemencias del invierno. En primavera se finaliza la poda para favorecer el crecimiento.

Los cortes deben ser limpios, regulares, oblicuos, y situados justo por encima de una yema sana. Esto se debe tomar al pie de la letra, ya que si el corte se efectúa demasiado arriba, sólo dará una rama muerta. Los rosales jóvenes se deben podar justo después de haber sido plantados; a las ramas de los híbridos de té se les corta un palmo como máximo. A los rosales trepadores se les eliminan únicamente los brotes muertos o los muy viejos. Y a los arbustivos se les cortan los brotes hasta la mitad. Antes de cada poda se deben cortar todas las ramas muertas o dañadas. Las ramas que crecen

donde no deben e interfieren el crecimiento de otras también se deben eliminar. Si el rosal es demasiado frondoso necesitará una poda de aclareo. Los brotes débiles que aportan pocas flores cuestan a la planta demasiada energía, por lo que también es mejor cortarlos.

Atención con los híbridos de té: las flores crecen en las nuevas ramas y esto se puede estimular mediante su poda. Con ello obtendrá menos corolas pero éstas serán especialmente grandes. Si la poda es más modesta, la floración será más abundante y las corolas, de menor tamaño. Por el contrario, en los rosales arbustivos las flores crecen en las ramas podadas el año anterior y éstas se deben dejar intactas. En general, le recomendamos que corte cada año algunos troncos viejos por completo para que la planta crezca con más vigor.

Otras tareas importantes que no se deben olvidar son: sujetar los rosales trepadores a tutores, abonar y regar con asiduidad, proteger los troncos durante el invierno, mejorar la protección mediante una capa de *mulch* o paja y proteger sobre todo las áreas injertadas.

En el cultivo de las rosas, la poda regular es una de las tareas más importantes (izquierda, arriba y abajo).

Si a los rosales trepadores se les ofrecen los cuidados necesarios se pueden obtener especímenes tan espectaculares como éste (abajo).

Actualmente las **hierbas aromáticas** no son apreciadas sólo por ser plantas útiles, sino también por su gran valor estético en un jardín ornamental. Gracias a su belleza y sus agradables aromas encuentran su lugar en cualquier tipo de jardín.

LAS HIERBAS AROMÁTICAS EN EL JARDÍN

¿Hinojo con lilas? Quizás no sea ésta la combinación más adecuada. Pero las lilas y los rosales no constituyen todo el jardín y en algunos rincones el especiado aroma de estas hierbas enriquecerá la atmósfera de manera intensa. Deberíamos tomar como ejemplo los jardines medievales, en los que las hierbas eran imprescindibles.

La hierbas aromáticas forman parte de las plantas útiles, que sirven de alimento, de forraje y de medicina. Sin embargo, los jardineros reconocieron muy pronto también su valor decorativo. Hoy, las encontramos en los huertos al lado de otras plantas útiles, pues sus efectos positivos sobre otras especies son indiscutibles; y también en los jardines, debido a sus cualidades aromáticas y decorativas. Si el espacio es escaso en el jardín, también puede plantarlas en macetas y colocarlas en la terraza o en el balcón. Así, las tendrá más a mano a la hora de cocinar y aportarán una nota de aroma a su hogar.

En el jardín tampoco se puede decir que molesten. Algunas combinaciones interesantes podrían ser por ejemplo: la lavanda queda muy decorativa entre los rosales, la capuchina aporta una gran alfombra de frescor, la borraja reaviva un arriate florido con sus atractivas flores, la manzanilla forma un césped fuerte y aromático, y el cebollino o el perejil son borduras ideales para arriates, además de poder acceder a ellos con facilidad.

Un deleite para cualquier cocinero: tomillo, romero, mejorana, melisa y hierbabuena (izquierda) no sólo decoran el jardín, sino que también desempeñan un papel importante en la cocina. Cuando el verano toca a su fin, las hierbas se pueden poner a secar para después conservarlas en recipientes herméticos.

En el jardín es importante conceder siempre un poco de espacio a las hierbas aromáticas. Para que crezcan bien, necesitan un lugar soleado.

En una rocalla las hierbas aromáticas, como el sedo rupestre, la ajedrea o la mejorana, tampoco pueden faltar. Para la verdolaga, el romero, la melisa y el tomillo la rocalla es también un entorno apropiado; y la hierbabuena y el berro la envuelven de agradables aromas. El jardín de rocalla es muy apropiado para las hierbas aromáticas combinadas con las plantas de montaña puesto que ambas adoran el sol. No obstante, algunas hierbas exigen un suelo más rico, por lo que éste se debe abonar a menudo con compost.

Para el tratamiento de estas plantas tenga en cuenta los siguientes consejos prácticos: la mayoría de las hierbas aromáticas deben estar secas cuando se vayan a cortar. Es preferible no hacerlo con tiempo lluvioso, ni tampoco al anochecer ni al amanecer cuando las hojas están cubiertas de rocío. Durante el mediodía, cuando el sol calienta con más fuerza, también es desaconsejable cortarlas ya que es el momento en el que el contenido en aceites esenciales, que ligan el aroma, es menor.

Las hierbas pierden aroma al lavarlas. Como las ha cultivado usted mismo y sabe que no han sido tratadas con productos nocivos, será suficiente rociarlas con un poco de agua de la regadera para eliminar la suciedad que hayan podido adquirir del ambiente. A continuación, se secan y, por último, se cortan y se conservan en recipientes herméticos.

También puede utilizarlas como elemento decorativo y aromático confeccionando ramos secos, centros florales o saquitos de olor para los armarios. El secado es un método práctico para conservarlas y almacenarlas; para ello se deben colgar en un lugar seco y oscuro pero aireado porque, de otra forma, el sol eliminaría todo su perfume.

COMBINAR FORMAS Y COLORES

Como en la alta costura, las diferentes concepciones del jardín están sometidas a modas cambiantes que nadie consigue obviar por completo. De todas formas, en un jardín no todo es factible: su localización y las estaciones ponen ciertos límites a las posibles combinaciones.

Como bien dice el dicho: sobre gustos no hay nada escrito. Cada jardinero tiene una idea particular sobre el aspecto de su jardín y los conjuntos florales ideales. Ya sea multicolor o en una gama de toños, en la naturaleza se reúnen todos los gustos.

Si se comparan con la alta costura, las modas en materia de jardines son considerablemente más duraderas, puesto que para concebir un nuevo diseño se requiere mucho más tiempo. Un árbol no se tala con tanta facilidad como se arranca una brizna de hierba, y ni siquiera el jardinero más veleidoso se separa de sus arbustos de varios años de edad por mero capricho. Si los cambios de gustos se pueden concretar con relativa rapidez en lo que se refiere a las plantas anuales y bianuales, incluso en este caso el jardinero aficionado no cambiará el diseño de su jardín durante algún tiempo: no sólo por el trabajo que esta transformación implica, sino porque los gustos no cambian con tanta rapidez como la

moda. Las revistas y los libros como este, con sus fotografías y su detallada información, contribuyen no obstante a despertar y mantener el placer de experimentar. En cualquier caso, el mundo de los jardines ya no es tan conservador como lo era

Hortensias y astilbes (izquierda): un ejemplo de combinación de tonos bien lograda.

Para obtener un bello y variado arriate de flores se puede jugar tanto con el color como con la altura de las plantas. Alegrías, tagetes y lavanda componen un artístico cuadro floral (abajo).

antaño, lo que ha conllevado que el gusto personal también se aparte de las convenciones.

En principio, cualquier combinación es posible. Sin embargo, no todo crece a la vez ni se desarrolla de la misma manera en todos los lugares. Las plantas que prefieren la sombra y aquellas que adoran el sol sólo las encontramos juntas en situaciones excepcionales o bien en simbiosis, es decir, cuando la planta que exige sol ofrece sombra a su compañera más delicada. Los helechos, por ejemplo, crecen bien al pie de los árboles que aman la luz y el calor. El suelo impone asimismo fronteras similares: ciertas plantas soportan bien, o incluso necesitan, la cal del suelo, mientras que otras la rechazan hasta el punto de llegar a morir.

Como decíamos antes, cada planta tiene su época de crecimiento y esta barrera es infranqueable. Por ello, será muy difícil encontrar girasoles junto a campanillas de invierno, a pesar del bello contraste que ofrecerían. Con todo, los tulipanes han dejado de ser sólo flores de primavera; en los viveros se han creado variedades que florecen hasta el final del verano. También existen otros muchos tipos de flores, como las anémonas y los crocos, de floración tardía o temprana.

Aparte de estos factores, puede dejar volar su imaginación a la hora de combinar las plantas de su jardín. No obstante, existen reglas universales que no se pueden ignorar: la vista agradece las composiciones a base de tonos de un mismo color, así como la combinación de colores básicos con sus mezclas. Así, el azul y el amarillo destacan mejor sobre un fondo verde, el rojo y el azul resplandecen al lado de la lavanda, y el amarillo y el rojo se funden en naranja al pestañear. Le recomendamos que se informe sobre las épocas de floración de cada planta antes de combinarlas.

EL JARDÍN EN INVIERNO

Durante el invierno reina la calma en el jardín, la vegetación descansa. Pero esto no significa que el jardinero también lo pueda hacer. Este período de inactividad de las plantas es el momento idóneo para ocuparse de su protección, podar e incluso recolectar. Y todo ello sólo se puede hacer durante las escasas horas de luz de esta estación.

Durante el **invierno** el jardín requiere menos trabajo que en el resto de las estaciones. No obstante no debe dejarse abandonado si queremos que todo brote correctamente al año siguiente.

Proteger la vegetación es la tarea más importante durante el invierno. Por norma general, los inviernos de nuestras latitudes suelen ser relativamente suaves, pero se debe ser precavido para evitar sorpresas inesperadas. La temperatura media no es lo importante, sino las extremas, que traen consigo hielo, viento e incluso nieve. Si no se han tomado las medidas necesarias, una breve helada fuerte puede destruir un buen número de plantas. Algunas de ellas, como las fucsias, sólo mueren en la superficie, mientras que sus raíces sobreviven y vuelven a crecer al año siguiente.

Durante largos períodos de heladas, incluso las plantas vivaces más robustas pueden correr peligro; sobre todo cuando el suelo se congela hasta cierta profundidad, impidiendo así la absorción de agua, con lo que la planta muere por deshidratación. Los arbustos que han endurecido su madera durante el verano son más resistentes.

No obstante, se deben tomar ciertas medidas preventivas que indicamos a continuación:

Recubra el pie de plantas vivaces y bulbosas con una capa de *mulch* o vegetación seca para

mantener el calor. Para proteger los arbustos delicados y los árboles jóvenes envuelva su tronco con tela de arpillera o plástico. En los lugares menos expuestos a las inclemencias del tiempo, es suficiente apilar la tierra alrededor del pie de la planta y recubrirla de ramas secas.

Un manto de nieve es de agradecer puesto que mantiene mejor el calor que algunos tipos de cubiertas. Sin embargo, puede resultar demasiado pesado: los setos anchos corren el riesgo de sobrecargarse, perder la forma e incluso quebrarse por algunos sitios. Para evitarlo, recorte el seto ligeramente de manera apuntada para que la nieve pueda deslizarse por sí sola. A los árboles de ramaje tupido y a los arbustos perennifolios tendrá que echarles directamente una mano y sacudir sus ramas para retirar la nieve; de no hacerlo, se arriesga a que pierdan la forma para siempre y la única solución sería volver a llevar las ramas deformadas a su sito atándolas con alambre forrado de plástico.

Las heladas tardías, que aparecen a menudo cuando la primavera ha sido precoz, representan un problema. En este caso son los brotes jóvenes los que se ven amenazados, ya que no serán capaces de soportar el cambio extremo de temperatura. Por ello es mejor no plantar los arbustos sensibles en emplazamientos con sol matinal, para que las yemas congeladas no se descongelen con demasiada rapidez. Si la helada es previsible, puede cubrir los brotes jóvenes con papel de periódico y fijarlo con tierra o piedras.

Nada mejor que preparar cuidadosamente el jardín para la llegada del invierno. Con todo, cuando la nieve forme una capa gruesa, habrá que liberar a ciertas plantas del blanco manto para evitar que se quiebren por el peso de éste.

El huerto

PLANIFICAR EL HUERTO

Cualquier proyecto, ya sea un jardín o un huerto, empieza con un croquis en el que se indican los emplazamientos previstos. Para ello se debe tener en cuenta la luz solar, las condiciones del suelo, el relieve, la cantidad de árboles y de bancales, etc. A medida que el proyecto avance surgirán nuevas ideas.

Los **huertos** deben estar bien estructurados mediante caminos, de manera que se pueda acceder a todos los bancales sin dificultad. Si va a plantar verduras u hortalizas, escoja un emplazamiento soleado. Pero lo más importante para obtener una cosecha abundante es el tratamiento del suelo.

Una vez que el plano definitivo está establecido, se debe hacer el análisis del suelo. Los resultados podrían representar nuevos cambios en la planificación. Generalmente, inspeccionar la tierra con la mano es suficiente para saber qué tipo de plantas crecerán bien en ella. Además, las condiciones del suelo se pueden adaptar a las necesidades de las plantas mediante un tratamiento apropiado del suelo. Dado que lo esencial ya se ha visto en el capítulo sobre «conocimientos básicos», nos concentraremos ahora en lo que concierne específicamente al huerto. La diferenciación entre jardín ornamental y huerto no se debe tomar

muy al pie de la letra. Un huerto no tiene por qué ser una plantación estructurada geométricamente, sino que debe satisfacer también ciertos criterios estéticos. Reducir el huerto a su éxito en términos de recolección es una visión demasiado restringida.

Todo jardín debe ser también un espacio para el ocio; y no sólo para el jardinero, al que le servirá de ejercicio físico, sino también para el resto de la familia y para las visitas. En resumen: un huerto debe ser un regalo para la vista. Que los árboles estén destinados a dar frutos no impide que una maravillosa floración cada primavera y los mismos frutos en

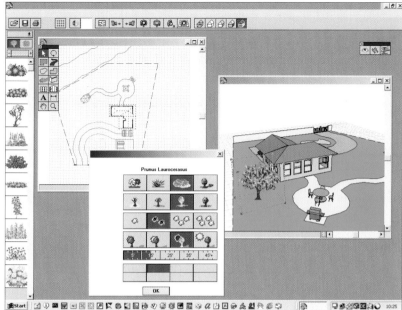

verano y en otoño nos ofrezcan un espectáculo radiante de formas y colores. Los cultivos de verduras y hortalizas combinan perfectamente con las hierbas aromáticas, que son tan útiles como bellas. Las vides son más apreciadas por su efecto decorativo que como planta útil. Si además proporcionan espléndidos racimos de uvas, estos frutos se considerarán más bien como un bello obsequio que como un deber de la planta.

Cuanto más bonito sea el jardín, más útil será también: el monocultivo, por supuesto, no entra en consideración. Y así, en pocas palabras, podría ser el paseo por un huerto bien planificado: desde la terraza de la casa, flanqueada de jardineras con hierbas aromáticas, se bajan dos escalones que conducen al césped, detrás del cual se extienden bancales rectangulares de verduras dispuestos escalonadamente. Entre ellos continúa el sinuoso camino de hierba, permitiendo así llegar fácilmente a los bancales para su cuidado y recolección. El camino desemboca en una glorieta ataviada de tupida vegetación: las judías trepadoras, por ejemplo, que son tan decorativas como otras plantas trepadoras, florecen de manera espléndida y aportan además algunos kilos de verduras para la cocina. Cruzando la glorieta llegamos a un pequeño vergel de manzanos enanos, frondosos melocotoneros y algunos arbustos de bayas. A continuación, dejamos atrás la pila de compost para regresar a la casa pasando al lado de un invernadero estrecho bordeado de disciplinados zarzales de moras.

Existen numerosos productos de software que le pueden ayudar a hacer el plano de su oasis verde. Éstos permiten experimentar sobre la pantalla –antes de ponerse manos a la obra– para encontrar la solución que mejor se adapte a sus gustos y posibilidades.

PRINCIPALES TRABAJOS DE PRIMAVERA

Marzo y abril son los meses más laboriosos para el jardinero. Todo pide atención para ser ordenado, plantado, cavado, abonado o regado. Afortunadamente, la poda de los árboles ya se ha realizado durante el invierno. Sin embargo, también es el período para plantar y abonar nuevos frutales.

E l jardinero apasionado no teme al trabajo que le espera en primavera, puesto que ya se ha preparado durante el invierno y está deseando retomar la dirección de su pequeño paraíso natural. Su principal actividad estará sin duda en la huerta de verduras, aunque otras plantas también exijan algunos cuidados. De momento nos centraremos en nuestros «proveedores» de vitaminas, que ahora deben ser plantados o sembrados. El tema de la plantación lo trataremos más adelante pero ahora veremos algunas observaciones acerca de las semillas.

Con la llegada de la primavera, tras el relativamente **tranquilo** invierno, hay que volver a ponerse manos a la obra en el jardín. Se debe empezar por las verduras de la huerta para que en el verano la cosecha sea abundante.

La mayoría de los jardineros compran las semillas ya desinfectadas. No obstante, si quiere utilizar las semillas recolectadas de sus propias plantas, puede realizar usted mismo este tratamiento contra las enfermedades. Cada tipo de verdura necesita un desinfectante diferente: las semillas de zanahoria, por ejemplo, se bañan en extracto de valeriana diluido en agua; las diversas lechugas se desinfectan en un baño a base de corteza de encina y los guisantes, las judías, las coles, los nabos y los rábanos, en uno de manzanilla.

Para preparar tales baños se ha de tener en cuenta lo siguiente: la dosificación del extracto de valeriana está indicada en el paquete; y para la corteza de encina y la manzanilla se debe utilizar una cucharadita por cada litro de agua de lluvia, a continuación se tapa y se deja reposar durante dos días. Las semillas se bañan durante una hora en la preparación y se siembran el mismo día.

Con la cantidad de trabajo que surge en primavera, es probable que prefiera adquirirlas ya desinfectadas. En este caso le recomendamos que compre semillas pildoradas. Se trata de semillas recubiertas de un material arcilloso, especialmente prácticas para las muy pequeñas pues se siembran con mayor facilidad. Como todas las plántulas son iguales, resultan muy prácticos los palitos que se clavan en la tierra sobre las semillas y de los que cuelga una pequeña etiqueta para reconocer rápidamente lo que se ha plantado. También existen las cintas de semillas, en las que éstas vienen ya dispuestas en el intervalo adecuado.

Unos días antes de sembrar, mulla el suelo hasta unos 3 cm de profundidad (para más información sobre cómo remover la tierra consulte el capítulo «conocimientos básicos»); a continuación coloque las semillas en hileras con la ayuda de un plantador o una sembradora. No olvide regar las semillas recién plantadas; el suelo debe permanecer húmedo hasta que aparezcan las primeras hojas. Como en el mes de marzo la mayoría de las verduras todavía no se pueden plantar directamente en el huerto, le recomendamos que lo haga primero en planteles cubiertos de vidrio o plástico. Los invernaderos son muy apropia-

Un suelo rico en sustancias nutritivas es indispensable para obtener una espléndida floración y una cosecha abundante. Si el suelo de su jardín no está suficientemente preparado puede enriquecerlo con compost.

Ha llegado la hora de sembrar las primeras plantas. Para ello existen aparatos muy prácticos que le permitirán obtener hileras de semillas perfectamente alineadas (derecha). Los intervalos de espacio se pueden regular.

Antes de empezar con la siembra se debe preparar el suelo. Es muy importante mullir la tierra en la superficie para que no esté fría ni apelmazada.

dos para ello, sin embargo no están al alcance de todos los bolsillos.

El film plástico es la solución más sencilla cuando ya no hay riesgo de heladas. Existen láminas de plástico agujereado, que crecen con la planta y con las que ni siquiera es necesario mullir. Éstas se colocan sobre la tierra sembrada y se sujetan con piedras o grava. El cultivo queda así protegido de insectos e intemperies. Las plantas muy débiles se deben colocar bajo campanas de vidrio o, en casos extremos, en cajoneras con calefacción.

En el mes de abril, muchas plantas se pueden ya trasplantar en el huerto. Únicamente las plantas ávidas de calor deberán esperar todavía hasta pasado el período de heladas. La coliflor, la lechuga, el colinabo y todos los tipos de col pueden plantarse ya fuera. No plante las lechugas a demasiada profundidad, sólo hasta el cuello de la raíz: las hojas no deben tocar el suelo. Colóquelas a unos 30 cm de distancia unas de otras. Para abonar el suelo escoja abonos compuestos orgánicos, los abonos minerales podrían contener demasiada cal. La tierra se debe abonar varias semanas antes de realizar la siembra.

A continuación, se pueden sembrar las hierbas aromáticas (anís, eneldo, estragón, cilantro, alcaravea, tomillo, etc.) directamente en la tierra del huerto. Para algunas de ellas, como la melisa o el levístico, es preferible comprar plantones y evitar plantarlos en la tierra abonada recientemente, pues esto conduciría a un crecimiento excesivo y a la consiguiente pérdida de sabor. Las hierbas aromáticas prefieren los suelos pobres y permeables y los emplazamientos soleados.

La distancia a la que se deben plantar las coles depende de la variedad. Los pequeños colinabos

se contentan con 30 cm; el repollo y las coles de Bruselas exigen como mínimo 50 cm. La col es un manjar exquisito para los parásitos; a continuación algunos consejos para mantenerlos a raya: contra el pulgón se debe pulverizar la planta con cenizas de madera; las orugas de la col son difíciles de controlar, algunos jardineros aseguran que la plantación alternada de tomates y apio los elimina; contra la hernia de la col, un hongo que ataca a las raíces, se recomienda verter cal de algas en el agujero antes de colocar la planta.

Para concluir queremos tratar el tema de los guisantes. Existen tres variedades que se pueden sembrar o plantar directamente en la huerta: los guisantes propiamente dichos, tiernos y dulces si se recogen a tiempo (junio); los guisantes secos, de la misma variedad pero más harinosos, que se pueden sembrar ya en el mes de marzo; y los tirabeques que se deben recoger muy tiernos y se comen con la vaina; estos últimos necesitan mucho calor, por lo que no se deben sembrar hasta mediados de abril.

Para que las semillas se conviertan en plantas resistentes la tierra se debe desherbar con regularidad (arriba).

Es el momento de trasplantar las plántulas al huerto. Coles y lechugas (izquierda) se deben plantar en el suelo bien mullido.

¿SEMBRAR O PLANTAR?

La elección entre comprar plantas jóvenes o el cultivo de verduras a partir de semillas es una cuestión de tiempo y de dinero. Sembrar cuesta menos, pero exige mucho más tiempo que plantar los plantones adquiridos en la jardinería. Sin embargo, el verdadero jardinero no renunciará a las semillas: su propia producción será el mayor orgullo de su huerto.

> Para evitar que todas las **verduras** maduren a la vez y poder recolectar según las necesidades, se debe ir plantando o sembrando progresivamente. De esta forma, el jardín le aportará vitaminas ininterrumpidamente durante todo el verano.

Cuanto más grande sea la semilla de una verdura más fácil será su siembra, ya que es más sencillo definir los intervalos de espacio entre mata y mata. Las semillas más pequeñas (como las zanahorias) es mejor sembrarlas primero en semilleros o en macetas de turba, a continuación se efectúa el repicado (trasplante a recipientes individuales) y por último se plantan en el terreno definitivo. Para este tipo de semillas, le recomendamos que adquiera los plantones en comercios especializados y de esta forma se ahorrará mucho trabajo.

El uso de plantones es asimismo recomendable si desea una cosecha temprana para, por ejemplo, volver a plantar en el mismo bancal. Esto no es sólo recomendable en términos de rendimiento sino también para evitar los poco estéticos huecos vacíos tras la recolección. Para los guisantes se aconseja plantar variedades muy precoces y a la vez sembrar otras más tardías. La siembra del guisante es muy sencilla puesto que las semillas se introducen sin dificultad a 50 cm de profundidad. La primera cosecha, proveniente de los plantones de variedad precoz, la obtendrá ya en el mes de junio; la de los guisantes sembrados seguirá algo más tarde.

Por otro lado, constatará que las verduras plantadas directamente en el huerto producirán cosechas más abundantes si la tierra del suelo había adquirido ya un poco de calor. Esto significa plantar en mayo y obtener una cosecha por tanto tardía. Y un consejo más: a menudo se ven huertos con hileras de verduras excesivamente largas.

A la hora de cosechar, el jardinero obtiene tantas verduras que no sabe qué hacer con ellas.

Para las lechugas o los rábanos la solución es simple: hileras más cortas o siembra parcial a lo largo de dos metros como máximo. Cuando empieza a brotar la primera hilera, se siembra la siguiente, que podrá recolectar cuando la cosecha del primero se haya consumido. Proceda con este método hasta bien entrado el verano y disfrutará así de sus verduras sin interrupción. El mismo efecto se puede conseguir alternando la siembra de variedades diferentes: primero lechuga francesa y a continuación romana, por ejemplo.

Aplique el mismo procedimiento con cebolletas, rábanos y espinacas. Esta sucesión cronológica funciona también sólo con espinacas, pues esta verdura puede brotar durante varios meses si primero se planta y después se siembra. Además, la espinaca crece de forma frondosa (unos 15 cm de espacio entre mata y mata para hileras dispuestas a 25 cm de distancia unas de otras) y mantiene el bancal verde si se riega con regularidad. En verano necesitan mucha agua para evitar que las hojas se tornen amargas.

Las cintas de semillas (arriba, izquierda) son muy prácticas: la siembra se realiza con rapidez y puede estar seguro de que las semillas están a la distancia correcta unas de otras. Una vez se ha remojado la cinta (arriba, derecha) se cubre cuidadosamente con tierra. Los bulbos, por el contrario, se pueden introducir uno a uno en la tierra (abajo).

El suelo debe contener suficientes sustancias nutritivas para el buen desarrollo de las **plantas**. Este aporte se puede garantizar mediante los diferentes tipos de abono. La harina de piedra (derecha) no es un abono, pero igualmente mejora la calidad del suelo.

EL ABONO

Como cualquier ser vivo las plantas necesitan alimentarse, de lo contrario se marchitan y mueren. Una parte de alimento se encuentra en el aire y en el agua, y otra la obtienen del suelo. No obstante, en el huerto se recoge y se elimina mucha materia orgánica, por lo que el jardinero debe suplir esta pérdida artificialmente y abastecerlo de agua adicional.

En el jardín retiramos las hojas muertas, las flores marchitas y las ramas secas y las llevamos a la pila de compost o las echamos a la basura. Lo mismo hacemos con la hierba cuando cortamos el césped o con las ramas después de podar árboles y arbustos. De esta manera interrumpimos el ciclo natural de la vegetación, por lo que será necesario reconstituirlo mediante el aporte de abono. Existen tres grandes categorías de abonos: los abonos artificiales orgánicos, los inorgánicos y los abonos naturales orgánicos, entre ellos el compost y el abono verde.

Utilizar los abonos arbitrariamente no tiene sentido. Las plantas necesitan una alimentación equilibrada que responda a sus exigencias, de modo que produzcan bonitas flores, sanas verduras y sabrosas frutas. Una alimentación insuficiente pone en peligro su capacidad de resistencia y desarrollo o incluso pueden morir víctimas de enfermedades. El abono en exceso es asimismo perjudicial, puesto que hace que las plantas crezcan demasiado rápido en detrimento de flores y frutos.

Según la planta, se deben dosificar de manera diferente los tres nutrientes principales, que son: el fósforo, el nitrógeno y el potasio. Además de los minerales y otros oligoelementos que todos los abonos deben contener. Nos resultaría imposible indicar aquí las cantidades precisas de esta o aquella sustancia necesarias para cada planta. Sin embargo, sobre las plantas que presentamos en este libro encontrará también indicaciones acerca de sus exigencias con respecto al suelo.

El abono orgánico tiene varias ventajas: lo puede preparar usted mismo mediante compostaje. Por otro lado, enriquece el suelo no sólo con nutrientes sino que aporta también oligoelementos. En el compost la mezcla de sustancias nutritivas básicas y de minerales es óptima, ya que en realidad está formado de todo aquello que garantiza el ciclo eternamente renovador de la naturaleza.

Pero ¿cómo utilizar el abono de manera eficaz? En primer lugar se debe distinguir entre el tratamiento de la superficie y el del área profunda del suelo. Si la tierra del arriate de flores está demasiado apelmazada para incorporar el abono, no debe intentar removerla con brusquedad pues podría dañar las raíces que se encuentran en la superficie. Extienda entonces el abono sobre la tierra alrededor de la planta e introdúzcalo cuidadosamente con ayuda de una laya.

La capa profunda del suelo es donde la planta arraiga. Para tratar esta área con abono, éste se mezcla con la tierra en el momento de la plantación o bien se vierte directamente en el hoyo donde se va a colocar la planta. Las raíces se encargarán más tarde de repartirlo poco a poco por la tierra a medida que vayan creciendo.

Si no se riega adecuadamente, el suelo de los cultivos elevados puede secarse con rapidez. Para evitar que esto ocurra existen diversas soluciones (abajo y página anterior).

PRINCIPALES TRABAJOS DE VERANO

En verano se recogen los frutos sembrados, y esto en sentido literal. La recolección es una de las tareas centrales del huerto, que no sería posible sin los cuidados previos que se deben realizar: escardar la tierra para eliminar las malas hierbas, combatir los parásitos, abonar, podar y, sobre todo, regar en caso de sequía.

En verano, una de las **tareas** más agradables para el jardinero es recolectar su producción. Las cerezas del propio jardín son una delicia, tanto si se consumen frescas como si se utilizan para preparar mermelada, zumo o pasteles.

Empecemos con la tarea más reconfortante del huerto: la cosecha. Ésta empieza ya en mayo con la recolección de las lechugas, sigue en junio con las cerezas y las fresas, y culmina durante septiembre y octubre con las frutas de gran tamaño como las peras y las manzanas.

La fresa es una de las frutas más apreciadas. Si ha regado sus fresas con regularidad (¡nunca sobre las hojas!) y las ha alimentado con un abono de larga duración, recogerá bonitos y sobre todo deliciosos ejemplares. La recolección de la fresa dura varias semanas y le recomendamos que recoja a diario los frutos maduros. Para esta operación es preferible dejar el pedúnculo en las fresas, así se mantienen frescas durante más tiempo. Las plantas tienen ahora numerosos brotes nuevos o estolones; si se parte de plantas con frutos aromáticos, darán futuras plantas madre muy prometedoras.

Lo mejor es cubrir estos estolones con un poco de tierra para que arraiguen (acodar) y eliminar los más débiles. En agosto podrá plantarlas en su propio bancal.

También es en este mes cuando se hacen las primeras recolecciones de frutas de pepita, como las manzanas y las peras, que hay que recoger aproximadamente una semana antes de que estén completamente maduras. De esta forma obtendrá frutas jugosas en su punto exacto de madurez, mientras que si se dejan en el árbol durante más tiempo se pondrán harinosas en seguida. Si se hace girar la fruta sobre el rabillo y ésta se desprende con facilidad, esto significa que la manzana o la pera está lista para ser recogida. Dado que los ejemplares expuestos al sol maduran antes, la recolección durará varias semanas.

Pasemos ahora a las verduras y hortalizas. En el mes de julio se cosechan las patatas nuevas. Queda de su cuenta decidir la cantidad que quiere obtener; no recoja más de lo necesario puesto que estos tubérculos, ya muy sabrosos, se seguirán desarrollando en la tierra. Para la recogida, proceda de la siguiente manera: extraiga las patatas simplemente con ayuda de una horquilla y tome las que desee; hasta mediados de agosto debe haber cosechado el resto de las patatas nuevas.

En agosto empieza la temporada de los tomates, que también dura algunas semanas ya que estas hortalizas van madurando progresivamente. El sabor del tomate le sorprenderá agradablemente, siempre y cuando se haya cultivado de forma correcta: preparación del suelo con abono, emplazamiento soleado y protegido, soporte de las plantas mediante tutores, poda en junio para evitar una floración excesiva, pinzamiento de los brotes, riego apropiado y aporte suplementario de abono si fuera necesario.

PRINCIPALES TRABAJOS DE OTOÑO

Con el verano no termina en absoluto la cosecha; el huerto alberga todavía gran cantidad de sabrosas frutas y verduras. Sin embargo, los preparativos para el año siguiente empiezan a cobrar gran importancia. Ha llegado el momento de empezar con estas tareas para garantizar que la próxima temporada sea igual de fructífera.

Mientras en el jardín todavía se **cosecha** en abundancia, debe empezar ya a pensar en las delicias que desea recolectar la temporada siguiente. Salvo algunas excepciones, la mayoría de los frutales se plantan en otoño, cuando la producción de los árboles viejos empieza a disminuir.

En otoño, dos trabajos de preparación pasan a primer plano: la plantación de nuevos árboles frutales y el cuidado del suelo en la huerta. Empecemos pues con los árboles, que en estos momentos nos obsequian con las mejores frutas y también las más duraderas –si no son muy viejos y están exhaustos–. En este caso, nada se interpone en el camino para plantar nuevos árboles, puesto que los que empiezan a dar muestras de debilitamiento ya no darán fruto durante mucho más tiempo. Y como los nuevos necesitarán algunos años para empezar a ser productivos, se deben plantar con suficiente antelación.

A excepción del melocotonero y el albaricoquero, todos los otros frutales soportan bien ser plantados en otoño. Piense bien qué árboles quiere tener en su jardín, puesto que se trata de plantas

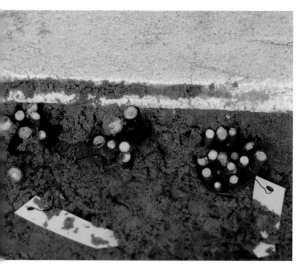

como muy lejos. El problema es que algunas variedades sólo aceptan ciertos tipos de polen. En cualquier caso, si va a plantar sólo un árbol, tome la precaución de escoger una variedad auto-polinizante.

de desarrollo lento. El porte, la anchura de la copa, la altura, el período de floración, el tipo de fruto, la cantidad de cuidados necesarios, etc., son asimismo factores que se han de tener en cuenta. Le recomendamos también que los plante por lo menos a cinco metros de la parcela del vecino, así evitará disputas por las frutas o por las hojas caídas en otoño.

Otro punto importante, que se olvida con frecuencia, es la polinización. Existen dos tipos de árboles: los autofértiles, es decir, que se polinizan por sí mismos y los que necesitan un polinizador en el mismo jardín o en el jardín vecino,

En el mes de noviembre, la mayoría de los bancales de verduras ya están vacíos. Ahora se tienen que regenerar, pero sólo pueden hacerlo convenientemente con la ayuda del jardinero. Para el abono verde es demasiado tarde, por lo que se requieren otros métodos, a escoger según el tipo de tierra: el suelo oscuro rico en humus es grumoso y no necesita ser removido; basta con airearlo un poco pasando el rastrillo sobre el bancal, de manera que las capas del suelo no se entremezclen como cuando se remueve.

Los suelos más compactos se deben trabajar más enérgicamente, a ser posible con la pala. Con ella se remueve la tierra y a continuación se incorpora compost o abono compuesto en la capa superior. Los suelos arenosos basta mullirlos con la horquilla o la azadilla. En primavera se deben enriquecer con polvo de arcilla, harina de piedra y compost.

A la hora de plantar estacas o esquejes, se deben introducir dos tercios del tallo bajo la tierra y sólo las yemas deben quedar expuestas.

Cada estación tiene su propio atractivo. Y el otoño, con sus tintes dorados y púrpura, confiere una belleza particular al jardín: un verdadero deleite para todo jardinero.

Durante
los meses de
invierno la
calma vuelve al
jardín, por lo
menos en lo
que concierne
al trabajo.
No obstante,
no se debe
abandonar
por completo.
Esta estación,
además, es favo-
rable para plani-
ficar el aspecto
que deberá
tener el jardín
la temporada
siguiente.

PRINCIPALES TRABAJOS DE INVIERNO

Durante el período de inactividad de las plantas, el jardinero también puede descansar un poco. Con todo, cuanto menos trabaje en invierno, más tareas se acumularán para la primavera. Ciertos trabajos no deberían dejarse para más tarde, ya que después puede que no sea oportuno realizarlos o no dispondrá del tiempo necesario.

Los cultivos mixtos no requieren mucha planificación, no obstante el invierno es el momento ideal para hacerlo. Así, obtendrá en un mismo bancal una combinación armoniosa de plantas, que se complementarán a la perfección. Probablemente ya se haya dado cuenta de que algunas plantas no se entienden bien y reaccionan de manera negativa a esta vecindad forzada.

Sin embargo, también existe el fenómeno contrario, el de la estimulación recíproca. Estas plantas se pueden colocar unas a lado de otras aunque las exigencias con respecto al suelo sean muy diferentes. Asimismo las épocas de cosecha pueden ser distintas, de esta manera se complementarán también en el plano visual. En los cultivos mixtos es importante respetar los siguientes puntos:

Las ramas del abeto ofrecen una protección natural muy eficaz contra el hielo (izquierda). Cubra con ellas el pie de las plantas más frágiles antes de que lleguen las primeras heladas.

■ Asegúrese de que las plantas se soportan mutuamente o mejor aún se estimulan recíprocamente.

■ Asimismo se deben complementar en la superficie; esto se consigue fácilmente plantando ejemplares frondosos al lado de otros más esbeltos.

■ Las raíces también deben estar en armonía: plante o siembre alternativamente plantas con raíces profundas y plantas con raíces superficiales.

Las ventajas de los cultivos mixtos se pueden resumir como sigue: con una planificación correcta, el rendimiento es superior al de los monocultivos, y el trabajo menor pues una vegetación densa deja poco espacio a las malas hierbas e impide que el suelo se seque y se endurezca. Este tipo de cultivo aporta variedad a la cocina y estimula la imaginación del jardinero. Y además es un placer para la vista cuando llega la temporada de la cosecha. Si echamos un vistazo a los jardines campestres tradicionales nos convenceremos rápidamente de las ventajas estéticas que ofrece. Algunos ejemplos de buenas combinaciones:

■ lechuga francesa con colinabo y rábanos.

■ guisantes con colinabo, lechuga y rábanos.

■ zanahorias con cebollas y puerros.

■ tomates con lechuga francesa, rábanos, apio, zanahorias y cebollas.

■ col con judías verdes.

En pleno invierno les llega la hora a los arbustos de bayas: en enero se deben podar, siempre que no haya heladas. Para ello es importante conocer las particularidades de cada planta: los arbustos de grosellas rojas y los de uvas espinas fructifican sobre todo en las ramas de dos o tres años de edad; elimine todo el ramaje de más de cinco años (reconocible por el color oscuro) y deje como máximo diez ramas portadoras de frutos. Los de grosellas negras, por el contrario, fructifican principalmente en las ramas de un año de edad, por lo que se deben cortar todas las ramas del tercio inferior. Las zarzas no se deben podar antes del mes de marzo, puesto que son muy sensibles al frío.

Una de las tareas del jardinero en invierno es la poda de los arbustos de bayas (abajo).

LAS VERDURAS Y EL SUELO

Los principios generales que conciernen al suelo ya se han tratado en el primer capítulo.
No obstante, queremos mencionar algunos trabajos para los cultivos de verduras en parti-
cular, que se deben realizar a finales del invierno. Estas tareas cobran especial importancia
si se ha decidido disponer un nuevo bancal y se desea efectuar el repicado de plántulas.

La composición del **suelo** tiene crucial importancia para el buen desarrollo de las plantas útiles. Según la planta escogida, el suelo se debe preparar de un modo u otro. A la hora de planificar el huerto, no olvide que no todos los suelos son aptos para el cultivo de cualquier planta.

Si ya se ha mullido el suelo durante el otoño y se ha incorporado abono compuesto orgánico, no queda mucho más que hacer: remuévalo una vez más superficialmente con el cultivador en caso de que se haya endurecido debido al hielo o la lluvia y distribuya compost fresco o estiércol sobre el bancal.

Si por el contrario desea plantar un nuevo cultivo de verduras, no le quedará más remedio que cavar la tierra como describíamos en el primer capítulo. Arranque las hierbas superficiales y échelas en la pila de compost con los tallos cabeza abajo. Si la capa de humus lo permite, cave unos 60 cm de profundidad. Durante esta operación no se debe mezclar la tierra de la primera capa con la de la segunda, de lo contrario corre el riesgo de traer a la superficie tierra con poca o ninguna materia viva. En suelos muy duros quizás sea necesario cavar unos 30 cm más; en este caso tampoco se deben mezclar las capas de tierra.

Los suelos pantanosos no son apropiados para el cultivo de hortalizas y sólo se pueden utilizar

para este fin si se someten a un largo proceso de tratamiento con cal, harina de piedra y compost. En este tipo de terreno es preferible plantar un jardín de landa o un bello parterre de rododendros. Un suelo arcilloso y pesado, por el contrario, se puede adaptar de forma sencilla a las necesidades de las verduras, ya que es extremadamente rico en nutrientes. En este caso basta con aligerarlo con arena o compost. Los suelos arenosos son también fácilmente adaptables al cultivo de hortalizas; como sólo contienen cuarzo y algunos otros minerales, se les debe proporcionar humus mediante el aporte de compost o estiércol de vaca y la superficie mullida se debe espolvorear entonces con minerales de arcilla. Esto permite a los organismos del suelo recibir alimento, que transformarán en humus.

A partir de todo lo citado hasta ahora, es fácil deducir las características del suelo ideal para el cultivo de verduras y hortalizas: una mezcla equilibrada de humus, arena y arcilla; es decir, un suelo a la vez permeable y arcilloso. Si la tierra de su huerto tiene estas características, no tendrá que hacer mucho más para preparar la siembra: esparcir un poco de compost y abono sobre el bancal y estructurarlo para disponer las verduras deseadas de forma ordenada.

Sin embargo, no debe olvidar que las plantas jóvenes son frágiles y sensibles al viento. Por ello, ofrézcales la protección necesaria mediante

elementos naturales (setos vivos, arbustos de bayas) o artificiales apropiados, pero tenga en cuenta que éstos no deben hacer sombra a los cultivos y que tampoco deben obstaculizar la circulación del aire.

Una planificación minuciosa y unos cuidados adecuados darán su fruto: la cosecha de calabacines como éste llenará de orgullo al jardinero.

La creación de un semillero en el suelo, uno de los métodos más antiguos que existen, pero que se sigue utilizando en la actualidad, puede ser un tema muy interesante para el hortelano. El período más favorable para realizarlo es a finales del invierno y la medida ideal es de un metro por dos con una profundidad de entre 60 y 80 cm. Una vez cavado el bancal reserve aparte la capa superior de humus, que necesitará más adelante. A continuación, disponga en el fondo una capa de hojas muertas de unos 10 cm de espesor. Encima coloque una segunda capa de estiércol fresco y húmedo de caballo, de 40 cm de grosor una vez bien aplastado; en alguna caballeriza cercana o en alguna granja de las inmediaciones seguro que lo puede conseguir gratis o a cambio de una pequeña compensación. Cuanto más pronto quiera sembrar, menos pisoteada deberá estar la capa de estiércol para que desarrolle mejor el calor. Para la tercera capa, extienda un manto fino de hojas muertas o compost. Por último, para formar la superficie utilice el humus reservado al cavar el suelo, que con anterioridad se habrá pasado por una criba y se habrá mezclado con compost; esta capa debe medir unos 20 cm. El bancal debe estar delimitado por un marco de madera resistente, cuyo lado norte será más alto

El suelo ideal para plantar verduras es una mezcla de humus, arena y arcilla. Si estos elementos están presenten en proporciones equilibradas, podrá plantar los proveedores de vitaminas más diversos, como por ejemplo coles o acelgas (abajo).

que el lado sur y sobre el que se fijará una campana móvil de vidrio, que permita airear los cultivos cuando sea necesario. La forma de la campana hace posible que la lluvia se deslice y el vidrio deja pasar la luz solar reforzando así el efecto de invernadero. La distancia entre la campana y el suelo debe ser de unos 30 cm aproximadamente y ésta se debe rodear de material aislante como paja, hojas muertas, ramas secas, etc.

Los primeros días se formarán vapores de amoniaco por lo que hay que dejarlo destapado durante el día, si hace buen tiempo. Una vez hayan desaparecido los gases, puede empezar a sembrar las variedades tempranas de colinabo o lechuga francesa. Los nabos, los rábanos y los canónigos también se cultivan bien en este tipo de bancal. Pronto obtendrá plántulas resistentes, que podrá trasplantar a la huerta y obtener una cosecha temprana.

Con un semillero bien aislado se ahorrará los gastos de un invernadero, por lo menos en lo que respecta a las primeras verduras y hortalizas; el estiércol produce calor constantemente de manera que las plantas no sufrirán a causa de las heladas tardías. También se puede utilizar estiércol de vaca, pero éste no llega a producir tanto calor como el de caballo.

EL CUIDADO DE LAS BAYAS

Entre los frutos más apreciados del jardín se cuentan las fresas, las uvas espinas, las grosellas, las moras y las frambuesas. Aquí también deberíamos nombrar las uvas, aunque éstas son más bien asunto del viñador que del jardinero aficionado. Con respecto a las otras hay que saber cómo tratarlas mejor para obtener una buena cosecha.

Si los cultivos de **fresas** se cuidan apropiadamente, a principios del verano se obtendrán estupendos frutos rojos, dulces y aromáticos. Plante variedades tempranas y tardías para disfrutar de ellas durante varias semanas.

Resulta evidente que las matas de fresas y los arbustos de bayas exigen cuidados diferentes. Las fresas, que crecen a ras de suelo y desarrollan un tupido follaje, son poco espectaculares; sin embargo, el exquisito sabor y la popularidad de sus frutos –del mismo nombre– no tienen nada que envidiar al resto de las bayas. En lo referente a su cultivo, antes de plantarlas es importante pensar bien qué lugar (sobre todo soleado) van a ocupar en el jardín, ya que pasarán varios años en él. También le recomendamos que plante una variedad temprana y una tardía para poder cosecharlas durante varias semanas. Antes de plantarlas, se debe mullir el suelo (cavando o labrando) a unos 40 cm de profundidad y se le debe añadir compost. Dado que las fresas pueden arraigar hasta a un metro de profundidad, el suelo también ha de estar ligeramente

mullido a este nivel, lo cual se consigue habiendo cultivado anteriormente, por ejemplo, patatas o judías; éstas ahuecan el suelo y lo enriquecen con nitrógeno. Una vez finalizada la recogida de la hortaliza anterior, se procede a eliminar del suelo las malas hierbas y los restos de raíces, y se realiza entonces la plantación. Es fácil obtener plántulas a partir de esquejes de las propias plantas, pero también se pueden adquirir en los comercios especializados a precios módicos. Y tras el trasplante se riega evidentemente en

paja o de virutas de madera puede servir de ayuda y además impedirá que crezcan malas hierbas. No obstante, habrá que regar en caso de sequía y escardar la tierra de vez en cuando para eliminar los tenaces visitantes indeseados por completo. El escardado del suelo sirve asimismo para mullirlo, que siempre es beneficioso para las plantas. Transcurrido el verano, enriquézcalo con un poco de abono compuesto, el exceso de éste estimularía la producción de hojas y de frutos de gran tamaño en detrimento de su aroma y sabor. Después de la floración, el suelo se debe cubrir de paja para evitar que los frutos entren en contacto con el suelo y disminuir así también el riesgo de que se forme moho.

A l igual que sus congéneres, las frambuesas maduran de color rojo, pero éstas crecen en tallos sarmentosos de

abundancia. Las hileras de fresas deben estar a por lo menos medio metro de distancia unas de otras; y entre planta y planta debe haber unos 25 cm de separación. Los cultivos de fresas duran tres años, tras los cuales ya no darán más frutos. Durante este tiempo el suelo debe estar siempre húmedo, pero no empapado: una capa de

Una capa de paja o de virutas de madera (izquierda) impide la invasión de malas hierbas y protege los frutos contra el moho.

Cuando las fresas se han cultivado bien, en verano producen abundantes y dulces frutos (abajo).

tancia entre las hileras debe ser de un metro y medio. Deje sólo dos tallos en cada nuevo arbusto y, una vez plantados, corte éstos hasta dejar sólo dos palmos. También se deben cortar un poco las raíces para favorecer la aparición de nuevos brotes. Dos años más tarde se podrá recolectar por primera vez.

La rama portadora habrá terminado entonces su misión, puesto que el tercer año ya no dará casi frutos. Tras dos años es preferible cortar los tallos viejos después de la recogida, dejar seis brotes nuevos por arbusto y recolectar dos años más tarde. Transcurrida la recolección, los arbustos se deben podar intensamente y se deben proteger para el invierno; un cúmulo de tierra alrededor del pie o una delgada capa de paja serán suficiente.

Los frambuesos aprecian los suelos mullidos, no demasiado secos y ricos en sustancias nutritivas, lo que se puede mejorar incorporando abono natural. Cuanto más sol reciban, más sabrosos y grandes serán los frutos. Los tallos más delgados necesitarán soportes para crecer mejor (alambres sujetos entre postes), de lo contrario forma-

Si el frambueso recibe mucho sol, dará bayas grandes, dulces y sabrosas.

hasta un metro y medio de altura. Los frutos aparecen después de la floración entre mayo y agosto, y forman racimos. Los frambuesos se deben plantar en otoño en hileras, dejando un espacio de medio metro aproximadamente entre las plantas, dependiendo de la variedad. La dis-

Las zarzas son arbustos poco exigentes. Sin embargo se deben podar intensamente para que no se vuelvan demasiado frondosos (izquierda).

Las moras desarrollan todo su aroma cuando se tornan de color negro azulado (abajo).

rán arbustos demasiado frondosos y los frutos recibirán menos sol.

Las moras maduras se parecen mucho a las frambuesas, sólo que son de color negro azulado. Sin embargo se trata de una especie completamente diferente con un carácter muy distinto. En estado silvestre, encontramos las zarzas en lugares soleados y sobre suelos pobres. Este arbusto, que da frutos más grandes si se cultiva en el jardín, es tupido y espinoso por lo que la podadera es la herramienta principal utilizada durante sus cuidados.

Esta planta requiere pocos cuidados, tan sólo son algo sensibles a las heladas y necesitan cierta protección durante el invierno; una simple acumulación de tierra alrededor del pie será suficiente. Aunque incluso se puede prescindir de esta protección, puesto que las zarzas se pueden multiplicar fácilmente mediante esquejes o por acodo. Después de la recolección se deben cortar todas las ramas, excepto las de un año de edad. Estas últimas producirán bayas el año siguiente, que no llegarán a ser tan dulces como las frambuesas, pero de un sabor incomparable. Si las espinas del arbusto le molestan para la recogida, puede optar por las variedades sin espinas, como la Thornless Evergreen. Sus frutos son de gran tamaño, pero no desarrollan el aroma hasta que están completamente maduros.

Las uvas espinas se pueden recolectar poco antes de que estén maduras del todo para elaborar mermeladas o conservarlas congeladas. Si se quieren consumir frescas, se debe esperar a que completen la maduración (derecha).

El arbusto de la uva espina se contenta también con suelos secos y produce igualmente abundantes frutos (abajo).

L as uvas espinas, unas bayas crujientes de delicioso sabor agridulce, se pueden recolectar en dos veces y para diferentes usos: cuando todavía no están maduras del todo son apropiadas para elaborar mermeladas o para congelarlas; poco después, completamente maduras, se pueden consumir frescas o utilizar en repostería. Estos arbustos son poco exigentes e incluso sobre suelos pobres recompensan al jardinero con una abundante cosecha, si su emplazamiento es soleado, de frutos relativamente pequeños. A su vez, en suelos calcáreos, húmedos y ricos en humus darán frutos más grandes. Por ello es importante regarlos con regularidad, sobre todo cuando los frutos están madurando, y abonarlos con compost tanto en otoño como en primavera.

Estas plantas son víctimas fáciles del mildiu. Para defenderlas, una poda de regeneración de aproximadamente un tercio es muy eficaz. Deje sólo una docena de ramas de uno y dos años de edad. Y para asegurarse de que no van a volver a ser atacadas, corte las puntas de los tallos jóvenes en otoño. Elimine las plantas innecesarias cortándolas a ras de suelo o arrancándolas por completo. Actualmente existen variedades resistentes al mildiu. También se pueden adquirir variedades en espaldera; a éstas no se les deben cortar las ramas conductoras sino las más bajas y las que salen directamente del suelo.

Las grosellas blancas no se plantan con frecuencia, quizás por su acidez o por el color pálido de sus bayas. Las principales representantes de

Los groselleros resisten bien el invierno y son poco exigentes; crecen en cualquier tipo de suelo, aunque prefieren los calcáreos. Asimismo, soportan los lugares sombreados, en los que sus bayas sólo necesitarán algo más de tiempo para madurar. Por ello, estos arbustos se pueden plantar perfectamente bajo árboles grandes. A la hora de podarlos es conveniente eliminar todos los tallos desnudos y los de más de tres años de edad. Estos arbustos necesitan estar a cierta distancia de las plantas vecinas y requieren un riego regular, ya que debido a sus raíces superficiales corren el riesgo de secarse o de dar una cosecha pobre. Se multiplican fácilmente mediante esquejes de 20 cm, que se deben introducir en la tierra hasta dos tercios. A los dos años sus raíces se habrán desarrollado lo suficiente y se pueden trasplantar al huerto.

estas bayas son las grosellas rojas y las negras, con sus sabores absolutamente distintos: agridulces y casi amargas las primeras y extremadamente perfumadas las segundas. Ambas son apropiadas para la elaboración de zumos, mermeladas y jaleas, sin perder por ello su elevado contenido de vitamina C.

Ya sean grosellas rojas, negras (izquierda) o incluso blancas, la elección del grosellero es cuestión de gustos. En todo caso, los arbustos se deben plantar a una distancia prudencial de las plantas vecinas.

Las grosellas maduras recién cogidas son una auténtica delicia. Pero también se pueden preparar zumos, mermeladas o jaleas con ellas.

81

Aparte de las bayas, las **frutas de pepita y de hueso** también tienen un lugar en el jardín. La manzana, muy cultivada en nuestras latitudes, existe en innumerables variedades.

FRUTAS DE PEPITA Y DE HUESO

La manzana y la pera son las principales representantes de las frutas de pepita en los jardines centroeuropeos y al tratarse de especies locales no dan verdaderos problemas. Por el contrario, las frutas de hueso provienen del sur, lo que explica su preferencia por el sol y el calor. Ciertas variedades de ciruelo, cerezo y albaricoquero han conseguido implantarse en toda Europa, incluso en las regiones nórdicas.

La manzana es considerada como la fruta característica del Occidente cristiano, tanto por su fatal implicación en el Génesis como en numerosos mitos y leyendas. Existen innumerables variedades de manzanos (más de veinte mil) de infinidad de tamaños, sabores y colores. Esta fruta se consume cruda, en jalea, en zumo o en compota, y representa las tres cuartas partes de la producción frutera mundial: no hay mes del año en el que no se pueda recolectar.

Aquí, deberemos contentarnos con algunas indicaciones concernientes al manzano de jardín: con sus raíces superficiales necesita un suelo rico, arcilloso, bien húmedo y ligeramente ácido (pH

entre 5,5 y 6,5); en ningún caso debe permanecer seco durante mucho tiempo ni tampoco encharcado. Mientras que las variedades tempranas se pueden recoger muy pronto, las tardías deben dejarse en el árbol el máximo tiempo posible ya que estas frutas no cesan de acumular acidez y vitaminas. En lo que respecta a la poda, ya se ha explicado lo necesario en capítulos anteriores.

Al igual que la manzana, la pera forma también parte de la familia de las rosáceas y aprecia especialmente los suelos ricos. Sin embargo, los perales tienen raíces verticales y por ello pueden soportar suelos más secos; además exigen más sol que los manzanos. La pera es mucho más dulce que la manzana, no porque el contenido en fructosa sea mayor, sino porque la tasa de acidez es menos elevada. El número de variedades es considerablemente menor al de las manzanas; en las regiones centroeuropeas, cerca de una

docena son aptas para el jardín. La pera se consume cruda o cocida, en compota o en jalea, en forma de zumo o de aguardiente, muy apreciado este último entre los expertos en licores.

Las peras no maduran en el árbol, sino que una vez recogidas se almacenan al fresco durante varias semanas hasta alcanzar el punto de madurez. Esto es aplicable tanto a las variedades tempranas como a las tardías. En los viveros se han desarrollado variedades de perales de tan poca altura que permiten la recolección sin la menor dificultad. La productividad de estos frutales es muy elevada, salvo si son víctimas de alguna plaga. Entre las más conocidas podemos citar la sila o mieleta del peral y el bupréstido perforador, contra los que el arsenal químico aporta a menudo una ayuda verdaderamente eficaz. De no ser así, es preferible sacrificar el árbol y quemarlo. Sobre todo, no eche sus hojas y ramas al compost, así evitará que los parásitos vuelvan y ataquen al resto de los árboles.

La manzana no sólo es excelente para la salud, sino que además tiene un aspecto muy atractivo.

Junto con la manzana, la pera forma parte de los principales representantes de frutos de pepita. La diversidad de especies, sin embargo, es menor que la de la manzana. No obstante, a veces puede resultar difícil escoger entre las doce variedades que crecen en nuestros huertos.

El ciruelo se adapta a casi todos los tipos de suelos. No obstante, prefiere los cálidos y húmedos. Para obtener frutos especialmente dulces, plante el ciruelo en un lugar bien soleado.

Las primeras ciruelas tempranas se empiezan a recolectar en el mes de julio, pero las que se recogen a partir de septiembre tienen un sabor mucho más intenso. Normalmente son de color azul, de forma ovalada y su sabor es refrescante y ligeramente ácido. También existen variedades de color verde, amarillo, rojo y violeta, algunas de ellas de gran tamaño, pero cuyos aromas y texturas no pueden competir con los de las ciruelas «originales».

En cuanto a sus necesidades con respecto al suelo y la luz solar, los ciruelos son poco complicados. De todas formas, prefieren los suelos húmedos y cálidos, permeables y muy ricos. Estos frutales de talla mediana aprecian siempre el aporte de abono y el riego directo durante largos períodos de sequía. Si han recibido suficiente sol, darán frutos particularmente dulces.

Por otro lado, son algo sensibles al hielo, por lo que se deben plantar en otoño y proporcionarles una buena protección invernal sobre todo a los ejemplares jóvenes. Cuando alcanzan la edad adulta, son bastante más resistentes; no obstante, exigen cierto resguardo si el invierno es especialmente riguroso.

Las ciruelas se han de recoger únicamente cuando están maduras. De ahí que la recolección se extienda durante un largo período, hasta que los últimos frutos, los situados en zonas de sombra, hayan madurado también. Es preferible recolectar a mano y no sacudiendo el árbol, puesto que la pulpa de la ciruela es muy sensible a los golpes, incluso si la hierba los amortigua un poco. Por naturaleza, las ciruelas se deben consumir rápidamente, ya sea en compota, en zumo, en mermelada o como relleno de pasteles; en la nevera se conservan tan sólo algunos días.

L a ciruela mirabel, una subespecie de la ciruela común, se conserva mucho más tiempo, sobre todo la variedad Nancy, originaria de la región francesa de Lorena, que puede durar hasta seis semanas. Estos frutos de color amarillo verdoso son más jugosos que la ciruela convencional. Su pulpa de delicado sabor se desprende del hueso con facilidad, su textura suele volverse blanda, se deshace, y tiene tendencia a volverse harinosa si se deja madurar demasiado.

Por otro lado, este tipo de ciruelos son mucho más exigentes en cuanto al suelo y al emplazamiento. Quizás su «noble» nombre le venga por otras razones: estas pequeñas bolas doradas no tan sólo poseen belleza, sino que la destilación de su jugo hace las delicias de los expertos en aguardientes.

Existen numerosas variedades de ciruela. Aparte de la azul, la verde, la amarilla y la roja colorean también las ramas de nuestros ciruelos.

La ciruela mirabel aporta un poco de color a nuestro frutero. Pero esta variedad de ciruelo es mucho más exigente que los otros en lo concerniente al suelo y al emplazamiento (abajo).

El guindo, una variedad de cerezo de fruto agrio, no necesita recibir la luz solar directamente.

Las guindas son especialmente apropiadas para la elaboración de zumo o compota, mientras que las variedades dulces como mejor se degustan son recién cogidas. A la hora de escoger el tipo de cerezo para su jardín, no olvide que el guindo es un árbol que requiere pocos cuidados.

La cereza es uno de los frutos más populares y apreciados de nuestra cultura. Sin duda debido a su resplandeciente color rojo y su incomparable sabor, ha sido tema de refranes, canciones e incluso películas cinematográficas.

La cereza es una tentación para grandes y pequeños, pero también para los pájaros: si el cerezo no se protege con mallas o con algún sistema espantapájaros, el jardinero no recogerá más que huesos. A los estorninos y los mirlos, sin contar al resto de la fauna alada, les encantan estos frutos azucarados. Existen numerosas variedades de cerezas; las más apreciadas son las tempranas, de color rojo claro, y las tardías, de un rojo tan intenso que parece negro; ambos colores refuerzan aun más el gran atractivo de esta sabrosa y bonita fruta.

El éxito de las cerezas se debe también a que estos árboles son poco exigentes en lo referente al suelo. Crecen en casi cualquier sitio, aunque se desarrollan especialmente bien si se plantan

en un suelo arcilloso húmedo y bien drenado. El aporte de abono mineral una vez al año es suficiente. Los cerezos aprecian también el calor, aunque no en exceso. El frío lo soportan bien, pero no las heladas severas, y aún menos las tardías, que pueden dañar los brotes nuevos o incluso marchitar las primeras flores. La estupenda floración del cerezo es muy temprana y es un acontecimiento celebrado en lugares tan dispares como el valle del Jerte (Extremadura), Hamburgo o Japón.

A pesar de su agrio sabor, que no es del gusto de todo el mundo, no debemos olvidar las guindas. Con ellas se preparan deliciosas compotas, mermeladas, zumos y las ricas guindas en aguardiente. La variedad más extendida es la que crece en un guindo arbustivo del cual se recolectan con comodidad. Este árbol frutal puede crecer a la sombra y es aún menos exigente, si cabe, que el cerezo.

Para concluir con los frutos de hueso, nombraremos por último el albaricoque, de origen asiático. Sus múltiples aplicaciones le han permitido conquistar Europa, pasando por Armenia: el albaricoque se puede consumir fresco, en mermelada, secado al aire y al sol (los conocidos orejones), en zumo, como ingrediente de pastelería e incluso cocinado en algunos platos.

El albaricoquero no puede negar sus orígenes puesto que adora los emplazamientos soleados, y el calor, y no soporta nada bien los vientos fríos. Se desarrolla mejor en los suelos ligeros, arenosos, calcáreos y permeables con un nivel elevado de humus; además se debe abonar intensamente durante el invierno y cuando los frutos están madurando.

La mayoría de las variedades de albaricoquero se autopolinizan, es decir, que darán frutos aunque crezcan aislados.

Conforme a su origen, el albaricoquero necesita sol y calor. Si se planta al abrigo del viento y se abona debidamente, este árbol puede crecer también en regiones más frías.

EL CUIDADO DE LA COSECHA

Las tareas del jardín exigen tiempo y cuanto más grande sea el terreno, más trabajo exigirá. El huerto requiere aún más esfuerzo que el paraíso de flores, ya que la ausencia de cuidados en éste se traducirá en pérdidas estéticas, sin embargo en el huerto será la cosecha la que pagará las consecuencias.

El cultivo de **verduras** exige más esfuerzo que el cuidado de un jardín ornamental. Pero una vez llegada la cosecha, quedará convencido de que el esfuerzo ha valido verdaderamente la pena.

Ya tras la primera recolección quedará completamente convencido de que todos los esfuerzos no han sido en vano, e incluso se le pasará por la cabeza agrandar la superficie de cultivo, de lo orgulloso y satisfecho que se sentirá de su cosecha.

Sin embargo, no se trata de conseguir la autosuficiencia a nivel de frutas y verduras. Algunos huertos, debido a sus dimensiones reducidas, imponen ya ciertos límites. Y además no todas las verduras, hortalizas y legumbres crecen de la misma manera, en el mismo tipo de suelo y en los mismos lugares; y algunas son tan exóticas que no le quedará más remedio que ir a comprarlas al supermercado.

Empezaremos con la siembra de los bancales de verduras. Lo mejor es hacerlo en otoño o durante un período exento de hielo en invierno. Ya en primavera verá aparecer las primeras plantas. Si la parcela escogida ha estado bien protegida del viento, ha recibido mucho sol y no ha conocido ni pico ni pala, se trata entonces de desembarazarse de todo lo que sea inútil, cortar las hierbas altas y eliminar las malas hierbas. A continuación, retire el césped si lo hay, tírelo al compost o bien introdúzcalo en la capa inferior del bancal para favorecer la formación de tierra cultivable.

Las verduras aprecian los suelos neutros, es decir, ni demasiado ácidos ni demasiado alcalinos (*véase* introducción). Por otro lado, la tierra debe estar mullida; para ello utilice la horquilla o la pala, la azadilla y la azada. Para aumentar la permeabilidad del suelo y, con ello, estimular el crecimiento de los cultivos, deberá incorporar compost u otro tipo de abono orgánico. Si el suelo es demasiado arcilloso, acogerá con agrado un poco de arena. Retire todas las piedras que encuentre y deje la capa superficial grumosa con ayuda del rastrillo.

En esta capa superficial se puede efectuar entonces la siembra o la plantación según un plan de distribución minuciosamente planificado con anterioridad. Es muy importante respetar la regularidad de las hileras y las distancias entre las plantas para garantizar el buen crecimiento de los cultivos. Antes de sembrar o plantar, se debe regar la hilera correspondiente. Una vez que el agua haya penetrado por completo en la tierra, puede introducir en ella las semillas o las plántulas a la profundidad apropiada (en el caso de las semillas, se indica en el envase, y respecto a las plántulas, puede introducirlas hasta llegar al nivel de las primeras hojas verdaderas). Después, vuelva a regar abundantemente.

El plan de distribución de las plantas es importante para conseguir un rendimiento óptimo del suelo. La división del bancal en tres sectores ha dado buenos resultados; aquí, se trata de plantar en rotación trienal una verdura u hortaliza diferente cada vez. Entre las especies principales se pueden sembrar algunas variedades de crecimiento rápido, que serán cosechadas cuando la planta principal empiece a necesitar más espacio para desarrollarse.

Para que las semillas o las plántulas se desarrollen bien y se conviertan en deliciosas verduras (izquierda), el suelo debe estar mullido. Asimismo, el compost favorece especialmente el crecimiento.

Ya sean cebollas, zanahorias o lechugas, le recomendamos los cultivos mixtos (página anterior); las verduras se lo agradecerán.

89

Las verduras variadas además de ser buenas para la salud son muy decorativas. Los diversos tipos de flores se encargan de dar el toque de color a este verde paisaje.

Como es sabido, los cultivos mixtos son más productivos que los monocultivos. La vida en comunidad de ciertas plantas tiene, por lo visto, una influencia positiva en la salud de sus compañeras. Además, las plantas con tiempos de crecimiento y períodos de maduración distintos tienen también diferentes necesidades con respecto al suelo; esto resulta en un uso equilibrado de los nutrientes y, por tanto, una mejor explotación del suelo. Ciertas plantas contribuyen a la lucha contra los parásitos, como por ejemplo el tagetes, por lo que los cultivos mixtos también pueden acoger plantas ornamentales. Además, algunas plantas que prefieren la sombra, aprovechan la que le ofrecen otras plantas de mayor tamaño. Las posibles combinaciones son demasiado numerosas para poder citarlas todas aquí, de modo que nos tendremos que contentar con algunos ejemplos: la lechuga es considerada como «planta trampa» para el pulgón y ayuda así al colinabo; la col aprecia la compañía de los tomates pues éstos ahuyentan a la oruga de la col; la cebolla y la zanahoria se ayudan mutuamente contra las agresiones de la

A la hora de plantar las verduras, tenga en cuenta la correcta rotación de cultivos; de esta manera podrá disfrutar de vitaminas frescas durante todo el año.

La anchura ideal del bancal es de 1,2 metros; con este tamaño le será posible acceder fácilmente a todos los rincones para recolectar el fruto de su trabajo.

mosca de la cebolla y la de la zanahoria. Por el contrario, el tomate y el hinojo no se entienden especialmente bien. Para más información, consulte las obras especializadas en esta materia o bien pida consejo al personal de los comercios de jardinería.

Los cultivos mixtos aprovechan mejor la superficie del jardín, debido a la rotación de cultivos durante el mismo año en el mismo bancal. Abone la tierra regularmente con compost para evitar su empobrecimiento. Los cultivos mixtos contribuyen además a estimular las actividades de los microorganismos, así que actúan de forma parecida al abono y enriquecen el suelo.

Si se respetan las reglas concernientes al abonado y al riego, no será necesario cavar el suelo en profundidad –a menudo muy pernicioso–, ya que los pequeños animales como las lombrices de tierra, que adoran habitar en estas comunidades, se ocuparán de mullir la tierra. En primavera, sólo tendrá que remover el suelo con la horquilla, a continuación trabajar la superficie con el rastrillo e incorporar por último el compost. Las cosechas obtenidas de este modo serán plenamente satisfactorias.

Como ya habíamos indicado anteriormente, el suelo del jardín se debe preparar y acondicionar para recibir las semillas o las plantas jóvenes. Para obtener un suelo completamente nuevo que se adapte a sus necesidades, tendrá que crear un bancal elevado.

Los bancales elevados son una opción muy interesante en un jardín de pequeñas dimensiones, ya que debido a su forma ofrecen más superficie de cultivo. Además, su estructura a base de diversas capas garantiza un calor continuado del suelo.

Para ello, deberá cavar un rectángulo de tres o cuatro metros de largo (o más, si dispone de espacio suficiente) por dos metros de ancho como máximo, y de unos 30 cm de profundidad; reserve la tierra extraída a un lado. Coloque sobre el bancal una malla fina de alambre, cuyos extremos sobrepasen el borde, de manera que mantenga alejados a musarañas y otro tipo de roedores.

Esparza por encima virutas de madera y ramas secas, por ejemplo las obtenidas tras la poda de otoño. Esta capa permite una buena ventilación y un buen drenaje del bancal. Después, disponga una capa de placas de césped o de paja. A continuación, distribuya una capa de tierra y encima de ésta, otra de hojas muertas bien húmedas. El compost constituirá la capa siguiente, sobre la

que se extenderá la tierra reservada. Por último, apuntale los dos extremos de este bancal abombado con ayuda de tablas o de una empalizada para que no se hunda.

Los diversos materiales reunidos en este bancal desarrollarán calor al ponerse en marcha el proceso de descomposición. El abono distribuido tiene también un efecto positivo ya que fertiliza la capa inferior de tierra, que sirve de sustrato a las plantas. Un bancal elevado tiene además otra ventaja: orientado de este a oeste, dispone así de un flanco sur soleado y uno norte de sombra; en ellos podrá plantar sus cultivos en función de sus necesidades de luz solar. Las verduras sólo se desarrollarán bien si la fina capa de humus no llega a secarse, algo que puede suceder debido a las dimensiones del bancal si no se ha regado lo suficiente. Para evitar que esto ocurra le recomendamos que haga un pequeño surco a lo largo de la parte superior para retener durante más tiempo el agua de riego y de lluvia.

El primer año es preferible utilizar plántulas en lugar de semillas, ya que las plantas jóvenes arraigan mejor en el bancal recién preparado que las plantas que crecen de las semillas. Al año siguiente ya podrá optar por la siembra si lo desea, pues la tierra se habrá asentado. La elección de las verduras y hortalizas queda de su cuenta. No obstante, le recomendamos que plante las verduras de poca altura, como las lechugas, los rábanos o las fresas en los laterales, y las más altas, como la coliflor, las cebollas o los pimientos en la parte superior.

Con el tiempo, este bancal irá perdiendo altura y se deberá construir de nuevo. Además, el calor

producido durante el proceso de descomposición también se habrá extinguido. Aunque la preparación de este tipo de terrenos requiere un esfuerzo extra, las abundantes cosechas que se obtienen compensan con creces.

Como se aprecia en la fotografía superior, no sólo con plantas ornamentales se pueden confeccionar bonitas composiciones.

CREAR UN HUERTO DECORATIVO

Los cultivos mixtos son el mejor ejemplo de que la estética y la funcionalidad no están reñidas. Las verduras también florecen como el resto de las plantas, y las flores son un regalo para la vista. Al igual que una mesa decorada con esmero invita a sentarse y comer, las frutas y verduras de la huerta enamoran el corazón del hortelano.

> ¿Jardín ornamental o huerto? No está obligado a elegir: con un poco de astucia es posible combinar ambos de forma estética, incluso si sólo dispone de un espacio reducido.

La diferenciación terminológica que se hace entre plantas útiles y plantas ornamentales es absolutamente artificial, puesto que cada planta tiene un valor estético y un valor útil. Asimismo, un huerto diseñado con gusto es un espectáculo para la vista. No obstante, en materia de gustos no se pueden establecer reglas, ya que se trata de algo absolutamente subjetivo.

Incluso un jardín pequeño destinado a producir el máximo de verduras y frutas agradece los toques de color que aportan las plantas de flores anuales o vivaces. Las hierbas aromáticas, que unos cultivan por su valor estético y otros por su valor culinario, ilustran a la perfección que la frontera entre la belleza y la utilidad es tan sólo una creación artificial del ser humano: la madre naturaleza aprecia a todas sus criaturas sin establecer diferencia alguna.

Si las plantas útiles imponen ciertos límites a la hora de diseñar el jardín, es sólo en lo referente a su necesidad de luz solar o de accesibilidad para sus cuidados y su cosecha. Esto se traduce en una disposición más geométrica y alejada del modelo natural que la del jardín ornamental. Por ello es especialmente importante enmarcar los bancales y los árboles frutales con otras plantas útiles, como setos de frambuesas, o bien con arbustos

Mediante caminos bien concebidos entre los bancales podrá acceder sin dificultad a todos los cultivos (izquierda).

decorativos. Los girasoles no decoran únicamente sino que nos proporcionan además deliciosas pipas; no obstante, procure plantarlos de manera que no hagan sombra a los cultivos de verduras.

Los bancales ganan en naturalidad si se forman grupos de diversas plantas y se organizan teniendo en cuenta el color, la forma y la altura. La estructura vertical, que se obtiene mediante plantas rampantes –como algunas variedades de judías o de árboles frutales en espalderas–, es de gran importancia. Una viña silvestre sobre el cobertizo de las herramientas transformará la vieja barraca en una pequeña casa encantada. Algunas coníferas en segundo plano pueden servir de árbol de Navidad y embellecen incluso un bancal elevado. Sin olvidar que además hacen de protección contra el viento. También el acceso a los cultivos es un tema relevante: la cantidad de caminos y senderos será mayor en un huerto que en un jardín ornamental. Pero esto no tiene por qué ser negativo: los caminos sólo resultan artificiales si se construyen en línea recta y se pavimentan todos igual. Opte por las líneas sinuosas y varíe el tipo de pavimento:

haga un camino de césped por un lado, uno de grava por otro y algún pequeño sendero a base de piedras naturales; un par de peldaños en un rincón, algunas escaleras y quizás círculos de madera a modo de escalones; deje volar su imaginación y verá hasta que punto los caminos pueden resultar decorativos y prácticos.

En la fotografía inferior le mostramos cómo las plantas útiles también pueden ser decorativas. Las diferentes formas y los variados tonos de verde crean una bella composición.

EL JARDÍN
ORNAMENTAL

¿PLANIFICACIÓN O ESPONTANEIDAD?

Nadie desea tener un jardín en el que la naturaleza salvaje esté abandonada a su suerte.
Pero lo contrario tampoco es agradable: un jardín que parece hecho en el laboratorio.
Sin embargo algo de planificación es necesario, como mínimo para las plantas duraderas.
El efecto natural no tiene por qué resultar perjudicado.

El tamaño del terreno destinado al jardín y el diseño que se le va a dar exigen planificación. Por eso se recomienda hacer un esbozo y determinar las zonas en las que se quiere sembrar o plantar. Es importante determinar dónde deberían estar las plantas leñosas, los arbustos ornamentales y, dado el caso, los árboles, pues se trata de elementos duraderos que otorgan al jardín un estilo muy marcado. Por el esfuerzo y los cuidados que requieren, es recomendable considerar los senderos y las áreas de césped y las pavimentadas como superficies fijas. Un estanque, por ejemplo, no se construye sólo para una temporada.

Estos puntos de referencia son una guía para adaptar el paraíso de flores: plantas vivaces, plantas de hoja perenne, pequeñas coníferas, cenefas o arriates de hierbas aromáticas, una pendiente con flores de rocalla y plantas trepadoras que iluminan el jardín en otoño con sus bellos colores. Si distribuye bien las plantas pequeñas en las zonas cercanas y las grandes en las zonas más lejanas y combina las épocas de floración siempre tendrá color en su jardín y un verdadero «paisaje» natural.

Entre las plantas vivaces existen numerosas especies perennes: eléboros, flox de musgo, arabis caucásica, lavanda, abrótano, hiedra y siempreviva mayor. Las hierbas de adorno siempre quedan bien junto a las plantas de estas especies y ofrecen su propio color de tonos más apagados. Las plantas de bayas perennes como la palma espinosa o el tejo florecen en invierno.

En ningún jardín ornamental debería faltar un seto vivo. Tanto si ha decidido que el estilo de su jardín sea el orden perfecto como si prefiere el efecto natural, con los setos vivos puede lograr contrastes o reforzar la tendencia que predomina en el jardín. Los verdes

> Antes de empezar a **plantar** o a reestructurar el jardín, el jardinero debe tomarse el tiempo necesario para planificarlo. Sobre todo cuando se trata de plantas plurianuales no conviene plantarlas sin planificación previa.

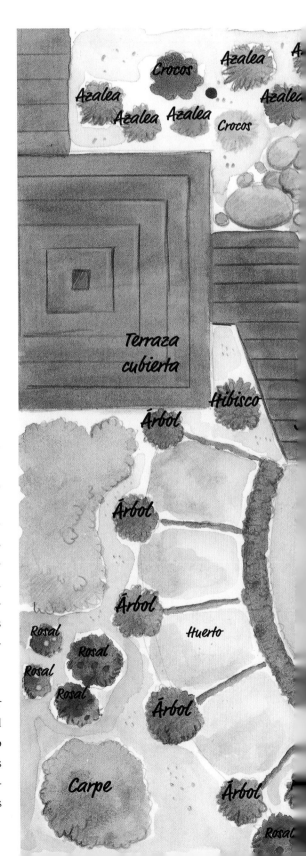

muros se pueden recortar para otorgarles una forma geométrica determinada o se pueden dejar crecer libremente sobre soportes invisibles. Recuerde que los setos vivos son ideales para que algunos pájaros hagan sus nidos y también ofrecen protección a pequeños animales del suelo. Cuando planifique la distribución de su jardín no olvide que quiere vivir en él, jugar en el césped, disfrutar de los colores y olores de las flores, hacer barbacoas, tener un rincón tranquilo para relajarse y leer, e incluso un cenador. Este tipo de «mobiliario» debe estar integrado armoniosamente en el jardín, y tenga en cuenta que los utensilios del jardín necesitan un lugar en el que ser almacenados, que podría ser el garaje, si se dispone de él.

Lo más inteligente es diseñar un plano exacto del aspecto que deberá tener el jardín en el futuro. Hay muchos factores a tener en cuenta: dónde plantar ésta o aquella planta, qué características necesita el suelo para las distintas especies, dónde se puede crear un agradable rincón de descanso, y muchos más.

INTEGRAR LA CASA EN EL JARDÍN

Sería absurdo no tener en cuenta el elemento más grande e importante: la casa. No sería bueno para el jardín, pues el edificio determina su carácter de manera decisiva. Por eso hay que respetar una norma básica: cuanto más sutiles sean las fronteras entre la zona de la vivienda y la de la vegetación, mejor será la imagen general del conjunto.

La **casa** debe integrarse de forma natural en el conjunto verde. Para conseguirlo se pueden crear zonas de suave transición que suprimen al máximo las fronteras entre la naturaleza y el edificio.

La integración de la casa en el jardín se consigue sobre todo con una zona de transición suave, por ejemplo mediante una terraza adornada con plantas en macetas o jardineras, plantas suspendidas en la pared de la casa, tiestos de hierbas aromáticas bajo las ventanas y sobre todo mediante plantas trepadoras en los muros, que suavizan las esquinas y otorgan a la casa un manto de vida además de ser un excelente aislante térmico para la vivienda.

Las plantas trepadoras en muros, balcones, garajes y cobertizos cada vez son más apreciadas. Se ha demostrado que la preocupación que existía antes porque el follaje pudiera atraer a gran cantidad de insectos era innecesaria. En realidad se podría afirmar lo contrario, pues las arañas

y otros insectos predadores, que eventualmente encuentran su hogar en las hojas de los muros, atrapan a los insectos no deseados y no necesariamente quieren entrar en la casa. Las abejas, abejorros y mariposas que se acercan a las flores en verano dan vida a la fachada con sus bellos colores y polinizan las plantas. Los ratones de campo raras veces ascienden por las ramas para introducirse en la vivienda.

Muchas plantas que no trepan por ellas mismas pueden crecer a lo largo de los muros; para ello sólo es necesario darles el apoyo necesario colocando celosías o alambres anclados a la pared. La fruta en espaldares resulta un elemento decorativo muy interesante que cambia de color tres veces al año: en primavera con la floración, a finales de verano con los frutos y en otoño con la hojarasca de bellos colores. Incluso la imagen de las ramas desnudas en invierno resulta decorativa.

D el mismo modo que el jardín se acerca a la casa a través de las plantas, la casa está presente en el jardín con su mobiliario. Esta integración inversa puede ser también muy atractiva al crear por ejemplo una pérgola o un rincón de descanso con mesa y sillas en el centro de los parterres de flores, bajo los árboles o al lado del estanque. Un camino de grava, un sendero escalonado o una «avenida» de pequeñas coníferas sirven de conexión entre naturaleza y cultura.

Un cercado de vallas y setos, muros bajos floreados o un bosquecillo subrayan de forma natural la apariencia de espacio común. Ésta se acentúa mediante la iluminación del camino principal que lleva a la casa, que a su vez facilita transitarlo de noche. En cualquier caso un jardín ornamental sólo puede ser llamado así cuando no solamente la zona de las plantas es bella, sino también cuando el edificio es atractivo y se encuentra integrado de forma armoniosa en el conjunto.

Al principio, el entorno de un edificio acabado de construir está desolado. El espacio libre es ideal para estimular la imaginación y la creatividad en la concepción del jardín.

Si el jardín está bien planificado y el jardinero ha trabajado correctamente y ha cuidado sus plantas podrá disfrutar desde su terraza del espectáculo de vegetación que ha creado.

Incluso en el jardín más pequeño hay lugar para algún **árbol**. Existen numerosas variedades de árboles pequeños que se integran a la perfección en el jardín sin alterar la imagen de conjunto.

ÁRBOLES Y ARRIATES DE FLORES

Si dispone del espacio suficiente no debería renunciar a los árboles en el jardín ornamental, por lo menos uno no puede faltar. No es necesario que sea un gigante con una copa espectacular, pero sí una especie que atraiga la mirada hacia arriba y ofrezca sombra a la vez que contrasta con los arriates de flores.

No se trata de cuestionarse si sus arreglos florales combinan con uno o varios árboles, sino de qué árboles escoger para su jardín y cómo conseguir la armonía con las plantas de sus arriates. El tamaño desempeña un papel importante, por eso hay que conocer las posibilidades que existen.

La mayoría de los jardines tiene dimensiones que no admiten árboles muy altos. Los más adecuados son los pequeños o medianos, que también dan sombra; este aspecto es importante a la hora dc buscar cl cmplazamiento adecuado.

Hay flores y arbustos que no necesitan demasiado sol e incluso viven mejor en la penumbra. Por eso pueden estar situados directamente debajo del árbol, mientras que otras especies se desarrollan mejor cuando disponen de claridad y por lo tanto deberán plantarse un poco alejados de él. Las variedades de crecimiento reducido del arce o del abedul, del codeso, de la magnolia y algunas variedades de pequeño tamaño del serbal o del enebro, el espino blanco o el manzano ornamental son de tamaño aceptable.

La siguiente cuestión que se plantea es la del color: los árboles también florecen. La magnolia, por ejemplo, lo hace de forma espectacular a principios de la primavera. Acompañarla de crocos o narcisos implica una rivalidad innecesaria, es preferible escoger flores estivales. Las magnolias no suelen ser excesivamente frondosas, por lo que dejan pasar algunos rayos de sol. Las plantas grandes y pequeñas deben complementarse y no competir entre ellas, por eso los tulipanes armonizan con el zumaque mientras que las dalias apenas se apreciarían entre el fuego de su follaje otoñal. Los árboles que presentan intensos colores combinan bien con plantas que desarrollan su belleza en otra época del año. En la práctica esto significa que para las lilas hay que escoger acompañantes que muestren su esplendor en otoño y para el arce aquellos que lo hagan en verano, puesto que él despliega su gama de colores en otoño.

Las coníferas se llevan bien durante todo el año con todas las plantas anuales y con todas las vivaces ornamentales. Constituyen un telón de fondo tranquilo y fiable para el juego de colores del jardín. Por otro lado son perennifolias y por lo tanto en invierno también ofrecen puntos de color y se convierten en una protección eficaz contra las

miradas indiscretas y contra el viento. En otoño las especies de hoja caduca dan mucho quehacer al jardinero, que tiene que recoger la hojarasca. Pero esto sólo resulta problemático para quien no sepa qué hacer con ella; la hojarasca es una materia orgánica ideal para cubrir el suelo. También se puede agregar al compost. En lugar de enojarse, disfrute del colorido otoñal y aproveche este regalo que le ofrece la naturaleza para proteger a las plantas delicadas de las heladas.

Si se decide por árboles con flores, los colores deben combinar con los de las plantas que florecen a sus pies.

Si el árbol debe estar acompañado de flores de colores debe escoger variedades que no exijan mucho sol y resistan los períodos de sequía.

COLOR DURANTE TODO EL AÑO

No hace falta reflexionar mucho para averiguar cómo se debe configurar un jardín en las estaciones del año más bellas, entre ellas el otoño. Conociendo las épocas de floración y con un poco de destreza en la disposición siempre podrá disfrutar de superficies coloreadas. Los problemas aparecen sobre todo en invierno, para el que hay que estar preparado.

Para mantener el **colorido** en el jardín durante todo el año es necesario escoger plantas que florezcan en distintas épocas. Si las elige cuidadosamente podrá disfrutar del color de las flores durante muchos meses.

A menudo los jardineros aficionados creen que durante la estación más fría del año es difícil obtener un poco de color en el jardín. Muchos jardines muestran un aspecto triste en invierno, que se debe únicamente a la falta de la preparación o de los conocimientos necesarios. Si el jardín no está cubierto por el uniforme manto blanco de la nieve siempre existe la posibilidad de conseguir bellos efectos invernales.

Empecemos por las especies perennes, como las coníferas o las plantas leñosas. No pueden faltar en el jardín ornamental y deben estar generosamente representadas, pues su verdor no es sólo un regalo para la vista en invierno sino durante todo el año. Muchas de estas plantas son idóneas para formar setos y por lo tanto también para estructurar y enmarcar un jardín ornamental. Algunas incluso aportan color con sus bayas rojas u otros frutos.

El invierno nunca será dramático si permite a las ericáceas, como el brezo alpino, crecer en su jardín; este agradecido cubresuelos se adapta tanto a los parterres pequeños como a las grandes extensiones de terreno. La mayoría de las especies no florece exactamente en invierno, pero mantiene sus coloridas flores hasta la primavera. Una variedad de las ericáceas se «ilumina» literalmente en invierno: la erica herbácea, de apenas 30 cm pero muy tenaz. Es una de las pocas de esta especie que se desarrolla en suelos calcáreos, aunque también crece en los suelos ácidos. Esta planta se toma la libertad de florecer cuando casi ninguna lo hace: sus flores rosadas, o también rojizas si se trata de una especie cultivada en vivero, aparecen en diciembre y resisten hasta la primavera.

Un compañero de las ericáceas es el jazmín de invierno, que adorna el jardín con sus minúsculas flores amarillas en forma de estrella que también soportan bien las inclemencias de esta época. Crece en suelos arcillosos ricos en nutrientes y para florecer en la estación más fría del año necesita estar situado en un lugar soleado y protegido. Con sus ramas colgantes, que requieren el apoyo de tutores o guías para que no se tumben, es ideal para la decoración de muros o de pendientes.

Por último, no podemos dejar de mencionar a un excelente rival en materia de floración: el hama-

melis. Si bien es cierto que no florece a principios del invierno, sí lo hace desde el mes de enero hasta marzo, siempre y cuando esté plantado en un lugar bien resguardado del frío intenso y del viento. Si las temperaturas son muy bajas, enrollará sus exóticas y bonitas flores hacia el interior como medida de protección.

Para conseguir un efecto realmente **natural** son necesarios ciertos preparativos. Pero ¿quién no está dispuesto a invertir un poco de esfuerzo para disfrutar del despertar primaveral de luminosos colores tras el frío invierno?

FLORES PRIMAVERALES

Todo lo que florece en primavera aparentemente de forma espontánea y sin planificación es en realidad el resultado de una buena preparación. Artificialmente conseguirá obtener el efecto de la naturaleza salvaje. Para ello, deberá plantearse, por ejemplo, cuál es la función de un croco aislado o de un solitario narciso bajo un avellano.

La sabia naturaleza sabe lo que se hace: las flores primaverales más bellas crecen de plantas bulbosas o tuberosas, lo que resulta muy práctico para el jardinero. Florecen durante varios años seguidos así que cada primavera podrá disfrutar de los ramos de crocos o narcisos, tulipanes y jacintos. Sus flores convierten las zonas del jardín en las que crecen, agrupadas como si fuera por casualidad, en exuberantes prados primaverales. Por eso el césped sobre el que crecen sólo se debe cortar a principios del verano, cuando las flores se hayan marchitado.

algo mayor. A continuación exponemos algunos ejemplos de combinaciones de flores primaverales, que deberá cuidar con esmero aunque presenten un aspecto natural y silvestre: el acónito de invierno, con sus pequeñas inflorescencias amarillas en forma de cáliz, es uno de los primeros en aparecer. Con sus tallos de pequeño tamaño aprecia la compañía del eléboro lila, de tallos más altos. Tanto el acónito de invierno como el eléboro lila prefieren los emplazamientos a media sombra, por ejemplo al pie de algún arbusto. Las anémonas de color violeta forman hermosos tapices adornados por los cálices amarillos con puntitos rojos de los tulipanes Keizerskroon y salpicados de pequeñas agrupaciones de narcisos enanos February Gold.

Las campanillas, con sus campanuladas florecillas blancas, combinan muy bien con los tulipanes de color rojo oscuro, que no se deben mezclar con ellas sino rodearlas. Otra armonía multicolor la componen las primaveras amarillas acompañadas de las blancas azaleas Schneeglanz, los nazarenos azules y las aubrietas, de un azul algo más claro.

Le presentamos aquí algunas de las plantas primaverales más apreciadas.

Los crocos, narcisos y jacintos (izquierda) anuncian la llegada de la primavera con sus inflorescencias de distintas formas y colores distribuidas por el césped.

Las plantas tuberosas y bulbosas son plurianuales y por lo tanto requieren cuidados especiales, como el corte de las flores marchitas. Si sigue nuestros consejos cada año la primavera le sorprenderá con un mar de crocos (abajo).

Además las hojas marchitas servirán de alimento a los bulbos y tubérculos. Sin embargo debe evitar la formación de semillas –que malgastan inútilmente la energía– cortando las flores marchitas por la parte superior del tallo. Así la planta aprovechará la materia vegetal muerta que el suelo permeable, que usted habrá fertilizado con compost antes de la primera plantación, necesita.

Resulta muy agradable observar las flores primaverales desde la ventana cuando el tiempo aún es algo frío; por eso las plantas más pequeñas deberían estar cerca de la casa mientras que las más altas como los tulipanes o los jacintos pueden estar a una distancia

La scilla o campana azul, que también existe como arbusto, desarrolla una variedad primaveral de inflorescencias formadas por seis pétalos alrededor de un pedículo de 15 cm de longitud. Existe una variedad siberiana cuyas flores tienen entre dos y cuatro pétalos y otra que florece a menudo cerca de las campanillas de invierno. Esta flor procede de los bosques y por eso aprecia los emplazamientos umbríos o a media sombra y los suelos húmedos y ricos en humus.

Los rizomas de la achira, una planta que alcanza una altura de entre un metro y un metro y medio con flores maravillosas de muchos colores, no resisten el invierno. Con las primeras heladas hay que retirarlos del suelo, limpiarlos y almacenarlos al abrigo del frío enterrados en arena. En mayo se pueden volver a plantar en el exterior para que florezcan a finales de la primavera. Algunas variedades mantienen las flores hasta el otoño.

Una auténtica flor de primavera es el jacinto, que en abril y mayo nos embriaga con su aroma intenso. Existen variedades de cultivo de numerosos colores. Las más apreciadas son las blancas y azules, pero las rojas, como la Tubergens Scarlett o amarillas, como la City of Harlem, cada vez tienen más adeptos. El emplazamiento ideal para ellas es un lugar soleado. Casi al mismo tiempo aparecen las fantásticas flores de la corona imperial o *Fritillaria imperialis,* una planta bulbosa que, alrededor de un delgado tallo de casi un metro de altura, desarrolla un penacho de hojas rodeado de flores campaniformes rojas o amarillas. A la misma especie pertenece la *Fritillaria meleagris,* de menor tamaño y con flores cuyos pétalos de color púrpura y blanco presentan un

Los narcisos también crecen a media sombra debajo de los árboles. Sus corolas de intensos tonos amarillos contrastan brillantemente con la madera oscura.

El colorido de las flores primaverales es casi ilimitado: blanco, amarillo, rojo o azul con los más diversos matices. La anémona (izquierda) brilla con bellos colores. El intenso azul de los nazarenos (abajo) contrasta armoniosamente con el rojo de los tulipanes.

dibujo de rombos que recuerda a un tablero de ajedrez. A pesar de su belleza, el aroma de las algunas fritillarias puede resultar desagradable.

No es necesario dedicar un capítulo a los crocos y tulipanes. En cambio le presentaremos a las campanillas de primavera, que a menudo se confunden con las campanillas de invierno porque florecen casi al mismo tiempo. Sus flores también son blancas, pero los cálices son más redondeados, tienen los bordes dentados y son mucho más altas. Su emplazamiento preferido son los lugares a media sombra con un suelo rico en nutrientes y húmedo o muy húmedo.

Tan pronto como empieza a derretirse la nieve aparecen las flores azules de la gloria de las nieves. Como la mayoría de las plantas de florescencia precoz, esta planta tuberosa sólo alcanza los 20 cm de altura, tiene pocas hojas e invierte toda su energía en sus flores blancas y azules en forma de estrella cuyas puntas pueden estar ligeramente curvadas hacia abajo.

Hemos visto un conjunto de bellas flores que tienen en común la cualidad de parecer silvestres aunque todas ellas requieran atentos cuidados. Lo más importante es haber trabajado bien el suelo antes de introducir los bulbos y tubérculos y algunas especies tardías, como la achira, tienen

que pasar el invierno al abrigo de las heladas puesto que están acostumbradas a las temperaturas cálidas por naturaleza.

PLANTAS VIVACES

El grupo de plantas de mayor riqueza de variedades, formas y colores para el jardín lo componen las vivaces, cuyas partes superiores mueren en otoño y las raíces sobreviven en invierno. Debido a sus inagotables posibilidades se merecen una atención especial y algunas observaciones.

No sólo el **color** es importante, también la altura de las plantas desempeña un papel en la concepción de su jardín. Las plantas vivaces permiten crear combinaciones interesantes.

Es imposible exponer toda la información referente a las plantas vivaces en un par de páginas, ni siquiera en un libro entero. Por un lado, las distintas especies tienen necesidades completamente distintas en cuanto a suelo y emplazamiento; por otro, a cada especie pertenecen numerosas variedades que se desarrollan con las más diversas flores y colores. Muchos amantes de las plantas vivaces en general, pero también jardineros más o menos profesionales especializados en lirios o iris se han agrupado en asociaciones que cuentan con foros de conversación, presentación de nuevos híbridos y asesoramiento para la obtención de plantas de variedades poco usuales. Además los clubes disponen de bolsas de intercambio muy activas. La asistencia a una reunión de alguna de las asociaciones es suficiente para decidirse a seguir los pasos de los expertos o perder definitivamente el interés por este tipo de plantas.

No obstante sus vivaces también crecerán si respeta las reglas fundamentales que expondremos a continuación. Un jardín ornamental sin plantas

vivaces es inconcebible. Se clasifican en general en primaverales –como las plantas bulbosas y tuberosas que hemos presentado en el capítulo anterior–, estivales y otoñales. La época en que se debe plantar cada una de ellas depende del período de floración de las otras; es decir, en otoño hay que plantar las primaverales y en primavera aquellas que darán color al jardín en los meses de otoño.

Con el tiempo muchas vivaces generan cada vez más raíces y en algún momento hay que poner fin a su proliferación. Para ello divida la planta de modo que pueda plantar algunas de nuevo o retirar las partes excesivas. El trasplante de las estas plantas normalmente no presenta dificultades porque crecen muy bien siempre que no se olvide de regarlas y fertilizarlas adecuadamente.

Pero tenga cuidado con los fertilizantes; se recomienda su uso pero siempre con prudencia. Las plantas de rocalla a veces crecen incluso sin compost y con poca tierra. Si se abonan abundantemente presentan un desarrollo artificial del follaje sin que se estimule la floración, para la que faltará la energía necesaria.

La aplicación de compost al suelo se debe realizar como máximo dos veces al año; no olvide nunca esta regla esencial si quiere tener éxito con el desarrollo de sus plantas vivaces. Si prefiere optar por la siembra, encontrará toda la información que necesita bien detallada en los envases de las semillas.

Con ayuda de las vivaces se puede crear una línea divisoria entre el césped y los arriates. Las variedades seleccionadas dependen de la altura de crecimiento y de los colores de las flores que prefiera el jardinero.

El jardín de plantas vivaces es un amplio campo de experimentación que ofrece numerosas posibilidades para combinar las plantas según su color o tamaño y que estimulará su imaginación. Sin embargo, recuerde que para adquirir suficiente experiencia y consiga aquello que se ha propuesto necesitará algo de tiempo. Para empezar, experimente con soluciones sencillas, como la demarcación de superficies de césped con arriates de plantas vivaces o la combinación de plantas de distintos tamaños en la misma zona.

Un punto muy importante a tener en cuenta al combinar distintas especies son las condiciones lumínicas. Las plantas anuales o bianuales sólo deben ser utilizadas como pequeños toques de color. La cronología de la floración debe ser respetada. En algún momento tendrá que coger papel y lápiz y diseñar un plan; y después otro, y otro más. Si la naturaleza cumple sus deseos,

es algo que se verá después de cierto tiempo. Para obtener buenos resultados deberá tener paciencia y seguir algunos consejos.

Muchas plantas vivaces alcanzan una altura sorprendente si no se rompen al doblarse o son abatidas por el viento. Por eso es imprescindible utilizar tutores para dar soporte a las plantas más sensibles a las inclemencias del tiempo. Para algunas variedades se ha demostrado que la poda después del período de floración principal es muy efectiva, es el caso de la espuela de caballero, el flox y el lupino. Estas especies florecen varias veces, aunque la primera floración siempre es la más abundante; se trata de un efecto duradero conocido como «remontar».

Desherbar, fertilizar dosificadamente, regar en caso de sequía prolongada… Siga todos estos consejos y nada se opondrá a que sus plantas vivaces crezcan sanas.

Además de la combinación de las distintas alturas, el jardinero puede utilizar la amplia gama de colores para la concepción de su jardín. Algunos prefieren limitar el número de colores y combinar sus distintas tonalidades.

Raramente caen enfermas y son muy resistentes a los parásitos, quizás con la excepción de la babosa. Este animal de aparente lentitud es capaz de destruir parterres completos a una velocidad impresionante. Las especies más amenazadas por las babosas son la dalia, la espuela de caballero y el lupino.

Como es natural, ningún jardinero quiere correr el riesgo de que sus plantas sean atacadas por las babosas; existen numerosos remedios para evitarlo. La arena y el serrín esparcidos entre las plantas se convierten en un obstáculo para ellas porque absorben sus babas. En las trampas de cerveza, que son recipientes llenos de esta bebida enterrados a ras de suelo, las babosas beben hasta morir. Sin embargo los detractores de este método argumentan que algunas de ellas no acudirían si no hubieran sido atraídas por la cerveza y quizás el resultado sea que las babosas del jardín vecino acudan al suyo. Resulta

mucho más efectivo configurar el jardín de manera que puedan vivir en él erizos y sapos, que son enemigos naturales de las babosas.

Con las plantas vivaces adecuadas se puede crear un jardín precioso.

La combinación de margaritas y malvas resulta muy atractiva en el arriate de flores. Con su verde intenso y sus inflorescencias blancas y amarillas, las margaritas armonizan con numerosas plantas vivaces.

FLORES ANUALES DE VERANO

Sin duda las vivaces son magníficas. Pero, sobre todo en verano, tienen que competir
con las innumerables variedades de flores anuales y bianuales. Estas últimas en realidad
también son anuales, puesto que la floración sólo tiene lugar durante una temporada.
Las que vuelven a florecer el segundo año lo hacen con una intensidad mucho menor.

En el **jardín** ornamental conviven las plantas pluria- nuales con las anuales o bianuales de verano. Plantar o sembrar nue- vas flores cada año conlleva mucho trabajo, pero es también una oportuni- dad para otor- gar nuevos toques de color al jardín.

Como la estación principal de floración de las plantas anuales es el verano, son muy adecuadas como solución interme- diaria para los jóvenes arriates de vivaces, que desarrollan plenamente sus inflorescencias más tarde, cuando sus congéneres primaverales ya han perdido su color. Gracias a sus bellos colores las flores estivales semirresistentes son muy apreciadas, aunque son muy delicadas y por lo tanto requieren cuidados especiales. Ya durante la germinación exigen sol y calor por lo que es necesario cultivarlas en un invernadero o com- prar las plantas jóvenes, que obviamente son más caras que las semillas. Se llaman «semirresisten- tes» porque son sensibles a las heladas, por eso se deben plantar una vez finalizado el período de

Las calceolarias son flores anuales muy bellas; aquí se han combinado con claveles (página anterior).

Otro ejemplo de una hermosa combinación de flores anuales lo componen las tagetes y los clavelones de la India (izquierda). Algunas plantas anuales también florecen un año más tarde pero sin la misma intensidad.

las mimas. Parece que supieran que sólo brillarán durante un verano, por eso tienen prisa en desarrollar sus inflorescencias y posteriormente las semillas antes de que vuelva el frío. Como consecuencia, las plantas anuales dejan de crecer después de la floración y por esta razón se recomienda no comprar aquellas que ya tengan capullos o flores.

Una floración precoz puede deberse a la falta de espacio de las raíces, por eso si cultiva usted mismo las plantas anuales debe plantarlas espaciadas. Si compra plantas jóvenes observe la distancia entre ellas; debe ser, como mínimo, de 5 cm en todas las direcciones para que no florezcan demasiado pronto. Si las raíces se desarrollan bien, toda la planta, es decir las hojas y las flores, será más robusta.

Las plantas jóvenes son «blandas» cuando se adquieren recién llegadas del invernadero. Se recomienda dejarlas durante unas dos semanas en sus macetas al aire libre (no expuestas directamente al sol), regarlas abundantemente y plantarlas después en los lugares previstos para ello con una distancia de 30 cm entre ellas en el caso de las más grandes, y de unos 20 cm las pequeñas. Si se siguen estos consejos las plantas serán resistentes a los parásitos y a las inclemencias del tiempo. Si las ha comprado a mediados de mayo las puede plantar en el jardín a final de mes, al mismo tiempo podrá sembrar otras sin correr ningún riesgo. Las anuales que haya sembrado crecerán en julio o agosto, por lo que relevarán a las flores primaverales marchitas. A propósito de primavera: si corta las flores cuando se están marchitando, la planta no originará semillas y volverá a florecer; así prolongará el período de floración. A continuación le presentamos una serie de flores anuales.

El helipterum crece hasta 60 cm de altura y sus inflorescencias de distintos colores aparecen en pleno verano o a finales de éste; el agérato sólo alcanza 15 cm y presenta pequeñas flores de tonalidades que van del azul al lila, tienen forma de borla y aparecen a finales del verano; un poco más alta es la begonia roja o rosada, que también puede estar a media sombra; el coronado se planta al aire libre a mediados de mayo y nos

Los alegres girasoles destacan al elevarse del arriate de flores estivales. Las variedades anuales del girasol se siembran directamente en la tierra en abril o mayo.

sorprende con sus corolas en forma de lilas, pompones o margaritas en tonos azules y rosados; la flor azul de la delicia brilla durante todo el verano; la petunia, con inflorescencias campaniformes, resiste hasta que llegan las primeras heladas; los pegajosos cálices de las trompetas, que miden 60 cm de altura, pueden llegar a alcanzar hasta 8 cm de longitud.

Se podrían mencionar muchas otras, pero también hay que dedicar un espacio a las plantas bianuales calificadas de anuales. Crecen durante el primer año, sobreviven en invierno y florecen al año siguiente; por lo general después mueren. Numerosas plantas de jardín, muy apreciadas, siguen este proceso de vida, como la campanilla, la hierba de la plata y la dedalera. Las plantas conocidas como bianuales en general tienen semillas más grandes que las de sus compañeras anuales, de manera que se pueden sembrar en la tierra con la distancia

adecuada entre ellas. Como necesitan pasar un invierno, deberá reservarles un lugar soleado desde el que las trasplantará en otoño a su emplazamiento definitivo. Una vez trasplantadas hay que tener cuidado de que no se sequen. Lo mejor es llenar con agua el agujero de plantación antes de introducir la planta y recubrir las raíces con tierra.

El trasplante se tiene que llevar a cabo a principios de otoño para que hayan arraigado antes de que empiece el invierno. Esto significa que a finales de septiembre debe procurar el espacio necesario en los arriates para las bianuales que florecerán el próximo verano. A continuación presentamos algunas de ellas:

La más conocida es el pensamiento o flor de la Trinidad, cuya floración duradera no necesita descripción alguna; las flores del alhelí no son únicamente de color amarillo, también pueden ser de tonos anaranjados o violetas, como en el caso del alhelí encarnado; la hierba de la plata,

Una de las flores más apreciadas en los arriates estivales es el alhelí (izquierda). Sus flores son de tonalidades que van desde el amarillo hasta el violeta pasando por el marrón rojizo.

que se llama así por sus silicuas planas plateadas, es excelente para hacer ramos de flores secas y requiere emplazamientos a media sombra y suelos pesados; bajo el sol estival la clavellina crea verdaderos cojines de flores en todos los colores que van desde el blanco hasta el rojo oscuro; los cálices de las dedaleras brillan en racimos alargados de color blanco, púrpura o amarillo; la candelaria, también amarilla, se eleva imponente alcanzando casi dos metros de altura, preferentemente en los prados de flores; en pleno verano la malvarrosa nos alegra con sus tonos rojizos en lugares abrigados del viento.

La época de floración del nomeolvides (abajo) llega entre marzo y junio en función de cuando se haya plantado. Combina muy bien con el pensamiento.

ARRIATES DE ROSAS

La reina de las flores tiene tantos vestidos que puede lucir uno distinto en cada ocasión. Cuando una majestuosa rosa de tallo alto se alza aislada es la atracción de todas las miradas, del mismo modo que cuando está rodeada de la toda la corte. Según el efecto deseado puede plantar rosales que crezcan individualmente o formen parte de un conjunto.

La oferta de **rosas** en los más diversos colores y formas es tan amplia que deberá pensar de antemano cuáles son las que más le gustan antes de comprar los rosales para su jardín.

Si se detiene a escuchar a los profesionales de las rosas se dará cuenta de que podrían conversar eternamente. Se ha establecido una verdadera «ciencia de la rosa», que cuando se transmite, aunque sólo sea a grandes rasgos, al jardinero aficionado, hará que éste no renuncie a tener en su jardín a la reina de las flores. En todo jardín debería existir un espacio reservado a esta maravillosa flor que brilla y nos embriaga con su delicado aroma.

En primer lugar debe pensar detenidamente qué tipos de rosas son los que desea adquirir para su jardín.

Si sale a pasear podrá observar las distintas variedades de rosales de los jardines y parques, las diversas formas que adoptan, las épocas de floración y los lugares más adecuados para ellos si crecen rectos hacia arriba o si son trepadores o tapizantes. Si tiene la posibilidad de visitar algún jardín botánico podrá apreciar aún más variedades. También puede optar por acudir a los concursos y exposiciones de rosas que se celebran en muchos lugares.

Una vez informado sabrá qué rosas escoger de la amplia oferta de variedades existentes en el mercado. Pero al adquirirlas sólo podrá ver las plantas completamente desarrolladas en casos excepcionales, así que tendrá que recordar las que ha visto en jardines y parques. Si no, se arriesga a comprar una planta de medio metro de altura sin saber que llegará a crecer hasta dos metros. Si dispone de algunos conocimientos previos se ahorrará sorpresas y decepciones.

Para determinar si un ejemplar es sano y resistente debe observar algunas de sus características. Un rosal debería tener como mínimo dos ramas firmes, recientes, intactas y del grosor de un lápiz; lo mejor es que tenga tres o cuatro ramas. Éstas no deben presentar manchas de color gris o marrón, ya que podrían ser síntomas de alguna enfermedad. El estado de las raíces también es muy importante, deben ser fuertes y fibrosas. A continuación, presentamos una pequeña selección de diversas variedades de rosas de cultivo y sus características. Se distinguen diez grupos diferentes.

Los rosales híbridos de té son cruces de rosales de té y remontantes; presentan flores grandes aisladas, son muy tupidos y alcanzan hasta un metro de altura. Los rosales pertenecientes a la especie polyantha tienen muchas flores de pequeño tamaño, crecen entre 40 y 90 cm y están un poco pasados de moda. Los híbridos de polyanthas son una mezcla de las dos variedades

Algunos jardineros plantan arriates enteros de rosas, mientras que otros prefieren intercalarlas con otras flores. Las rosas armonizan a la perfección con la gipsofila. Esta combinación de flores se observa a menudo en los ramos que se preparan en las floristerías (página anterior). La lavanda entre los rosales no sólo resulta muy atractiva sino que además ahuyenta a los parásitos (arriba).

Con hierbas ornamentales entre los rosales se obtienen efectos muy decorativos (derecha).

Una vez finalizados los trabajos de jardinería, no sólo se recrea la vista sino también el olfato. En este perfumado jardín (abajo) las rosas y otras flores estivales despliegan todo su aroma.

anteriores, que se volvieron a cultivar para obtener los rosales floribunda, cuyas flores son casi tan grandes como los de las del rosal híbrido de té. Tal es el caso, como su nombre indica, del rosal grandiflora, en el que crece una flor en cada tallo. Las formas de los rosales menciona dos son muy similares, en algunos casos incluso es difícil diferenciarlos. En cambio, los cinco que presentaremos a continuación tienen características inconfundibles: los rosales trepadores se encaraman entre dos y cuatro metros de altura, hay variedades que florecen una vez y otras que lo hacen varias veces. Las rosas enanas, cultivadas a partir del rosal polyantha, sólo alcan-

zan entre 10 y 30 cm y son excelentes cubresuelos. Las rosas de tallo alto proceden de injertos en tallos silvestres; al combinarlas con las trepadoras se obtienen los rosales llorones. Los rosales arbustivos son muy altos, alcanzan hasta tres metros de altura, y sus flores sencillas o dobles se mantienen durante mucho tiempo. Y para finalizar, los rosales silvestres, como la rosa hugonis o la rosa villosa, que constituyen un elemento decorativo para cualquier jardín.

Como ejemplo de utilización masiva de los rosales nombraremos el seto de rosas; no existe una manera más amable de dar la bienvenida que una entrada al jardín flanqueada por el exquisito aroma de estas flores. Los rosales arbustivos son muy adecuados para este uso ya que pueden mantenerse a la altura deseada si se podan puntualmente y se retiran inmediatamente las flores marchitas. Crecen frondosamente y se adornan con un vestido floral inigualable.

Para la plantación debe cavar el suelo dos veces en el lugar deseado, agregar humus y esperar a quela tierra se haya asentado. En otoño, marque dos líneas de plantación con ayuda de una cuerda, que le servirá de guía, y señale las posiciones que deberán ocupar cada planta con una distancia entre una y otra de casi 50 cm, de manera que

los agujeros de plantación formen una línea en zigzag. Los orificios deben ser lo suficientemente grandes como para que quepan bien los cepellones extraídos de las macetas o de la tierra. Las raíces de los rosales necesitan mucho espacio y por eso tienen que estar bien distribuidas en el agujero de plantación. Después añada un poco de tierra, presiónela ligeramente y riegue en abundancia.

Las rosas de tallo alto son las más adecuadas para brillar en solitario. Tanto en macetas, fácilmente transportables, como en un círculo de madera en el césped o en una superficie de gravilla son la atracción de todas las miradas. Cuando el tallo es delgado esta joya floral parece aún más bella. Para plantarlas cave un agujero profundo, remueva el suelo y llénelo con material orgánico como abono rico en humus

Flores estivales por excelencia: rosas rojas y rudbeckias amarillas.

121

Los rosales tapizantes permiten crear verdaderas alfombras de rosas.

o compost. Con un cuchillo retire el embalaje del cepellón (es decir, la maceta de plástico, la tela atada con cuerda, etc.) y colóquelo en el agujero. Introduzca una estaca firme atravesando el cepellón sin dañar las raíces y rellene el agujero con tierra; presiónela y ate el tronco del rosal al tutor haciendo un lazo en forma de ocho. Finalmente riegue la tierra abundantemente. Si planta los rosales en otoño, a finales de la siguiente primavera podrá comprobar si lo ha hecho correctamente. Será el momento de empezar a dedicarle a las plantas todos los cuidados que requieren.

Esta tarea tendrá que hacerla durante toda la vida del rosal, que normalmente es una planta longeva si recibe la atención necesaria. En primer lugar hablaremos de los fertilizantes.

Hay que aplicarlos anualmente después de la poda de primavera. Existe un abono específico para rosales que debe repartir alrededor de la planta preferentemente en un día lluvioso. Si no llueve deberá regarlas en abundancia. La mejor medida para evitar las malas hierbas y los parásitos es cubrir el suelo con materias orgánicas. Además, la descomposición de las cortezas, el

Se debe llevar a cabo con precaución para no romper las ramas y procurando no cortar demasiada madera ni follaje para que la planta no resulte debilitada inútilmente durante la época de floración.

En realidad, la poda del rosal propiamente dicha se lleva a cabo en otoño, cuando la planta no está en época de crecimiento ni floración. Los rosales tienen ahora que ganar resistencia para poder soportar mejor el frío invierno y las tormentas. Como norma general se debe cortar una tercera parte de la planta. Por motivos de prevención e higiene se recomienda quemar el material cortado y las hojas que se hayan caído previamente. Después hay que mullir la tierra alrededor de los rosales para esponjarla y para que se mezcle bien la capa de materia orgánica vertida en primavera y mantener así a las malas hierbas bajo control.

Para la multiplicación de los rosales puede utilizar esquejes o injertos, aunque la mayoría de los jardineros aficionados se ahorran el esfuerzo que esto supone y compran directamente nuevas plantas sanas.

Una variedad muy decorativa es el rosal arbustivo Clair Matin, que es excelente para crear setos de rosas en la zona de entrada del jardín. Los rosales arbustivos se deben podar a tiempo. Además, hay que cortar de inmediato las flores marchitas para potenciar su magnífica floración.

compost, la hierba seca o la paja tendrán efectos fertilizantes.

Como sucede con todas las plantas que florecen, los rosales también dan frutos. Esto les resta una gran parte de su energía y por lo tanto afectará a la floración ulterior. Como es probable que usted no desee conservar las semillas, le recomendamos que corte las flores marchitas en seguida. La poda estival tiene la ventaja de estimular el crecimiento y al mismo tiempo rejuvenece la planta.

PLANTAS TREPADORAS

En general, los muros tienen un aspecto muy poco vistoso, en cambio, si se cubren con un manto verde o de colores resultan mucho más atractivos. La naturaleza ofrece numerosas posibilidades para revestir cualquier tipo de pared. El problema surge cuando hay que escoger uno entre la amplia oferta de plantas trepadoras perennes y de temporada.

mayor altura que los muros y por lo tanto protegen de las miradas indiscretas, trepan por las pérgolas, adornan las vallas, dan sombra y convierten los arcos de entrada en un agradable saludo de bienvenida. Es decir, recubren de vida todas aquellas construcciones humanas no siempre agradables a la vista.

Para revestir **muros** desnudos o vallas poco decorativas las plantas trepadoras son la solución ideal. Éstas, a su vez, permiten crear cómodos rincones a la sombra.

Las plantas trepadoras y serpenteantes que escalan los muros ayudan a curar las heridas que ha originado la arquitectura en el paisaje natural. Allá donde haya una estructura de cemento para cubrir los cubos de basura, o la pared de un garaje o de una casa que se dirija amenazante hacia el jardín, donde una valla o una pila de compost hieran la mirada, debería plantearse si es necesario un manto vegetal. Florecerá de vez en cuando y hasta producirá decorativos frutos.

Sólo se recomienda cubrir los muros con plantas de temporada en algunos casos puntuales; lo más adecuado suele ser una solución permanente y, sobre todo, que siempre esté verde. Los mejores resultados se obtienen con plantas que crecen a

A menudo se cree que las plantas trepadoras son perjudiciales para la construcción. Este no es el caso si las paredes están intactas, y mucho menos en el caso de las plantas que trepan por sí mismas tales como la hiedra, cuyas raíces se adhieren al muro. Son órganos que no absorben alimento ni excretan fluidos. Las plantas que necesitan algún tipo de soporte para trepar, tutores, espaldares o alambradas, sólo perjudican a la pared durante la colocación de las fijaciones. El jardinero siempre tendrá cuidado de no taladrar innecesariamente las piedras. El tipo de estructura requerida para dar apoyo a las plantas depende de la trepadora que se haya seleccionado; y la elección de la planta se hace a su vez en función de las condiciones lumínicas, del viento y de los objetivos del jardinero. En muchos casos se aconseja usar una estructura de madera o de plástico, que mediante distanciadores proporcionan un efecto más frondoso al follaje y protegen los muros. Algunas paredes tienen que pintarse regularmente; para estos casos se recomienda colocar la estructura de soporte de manera que se pueda extraer fácilmente o plegar con la ayuda de bisagras. Cuando no sea necesario, por ejemplo en las paredes de ladrillo, serán muy útiles las alambradas sujetas con escarpias o clavos de cabeza acodillada que proporcionan algunos centímetros de distancia con la pared.

Una simple reja en el muro permite a las clemátides desarrollar sus ramas floridas, las cuales otorgan al conjunto un toque atractivo (página anterior).

El correquetepillo, una de las plantas de crecimiento más rápido, sólo necesita un soporte de madera para crear un tejado natural en una romántica glorieta.

Si ha escogido una planta que no se adhiere por sí misma a la pared deberá atar los brotes y ramas con una cuerda impregnada de brea o una cinta de jardinería con cobertura de plástico. Haga los nudos de manera que el tallo y el soporte no se rocen. La planta sólo crecerá con la forma deseada si de vez en cuando adapta los nudos al crecimiento. A continuación, presentamos tres plantas trepadoras especialmente apreciadas; omitiremos la fruta que crece en espaldares puesto que ya se ha tratado en el capítulo dedicado al huerto.

La clemátide aprecia los emplazamientos a media sombra, pero también resiste el sol directo si, como mínimo, el «pie» de la planta está a la sombra. Es el caso, por ejemplo de la cara norte de la casa, desde la que los zarcillos de la planta ascienden por la esquina para seguir creciendo en la parte soleada. También puede plantar arbustos delante. Deberá ayudar a la clemátide –también conocida como hierba de los lazarosos– a trepar. Para ello use alambres o ganchos y tutores intro-

Con una simple estructura de madera y rosales trepadores –aquí la variedad American Pillar– creará un ambiente maravilloso en su jardín.

ducidos en la tierra antes de plantarla. Así mismo es conveniente dejar una distancia de unos 40 cm entre la planta y la pared de la casa. Las raíces necesitan espacio para crecer y, además, a la planta no le sienta bien el agua que gotea del tejado. La clemátide, con flores de color azul, violeta y, con menos frecuencia, rojo, crece muy deprisa (hasta unos quince metros de altura) y las especies tardías desarrollan flores grandes y olorosas en las ramas del año anterior. Inmediatamente después de la floración se pueden aclarar sus ramas. Sin embargo, las que florecen en verano y presentan renuevos en las ramas jóvenes, se pueden podar ya en noviembre o en primavera antes de que desarrollen las nuevas hojas.

La hiedra, la planta trepadora más extendida, viste de verde todo aquello que pueda invadir y lo hace durante todo el año. No obstante, su ubicación favorita son los lugares umbríos, y es muy apropiada para proteger las paredes de la fachada. Esta planta de tupido follaje trepa sin ayuda y

Las plantas trepadoras no sólo otorgan belleza a las aburridas paredes del garaje o de la casa; también crean un atractivo espacio de transición entre el jardín y el edificio. Si se decide a emplearlas para recubrir paredes y vallas, encontrará a su disposición una amplia gama: dos variedades muy diferentes son la madreselva (izquierda) y la glicinia (abajo).

crece también sobre los árboles sin que éstos resulten perjudicados. Convierte las vallas en bellos escenarios y crece en casi cualquier suelo. Si está expuesta directamente al sol necesitará ser regada de vez en cuando.

Mientras que la hiedra alcanza sin problemas los treinta metros de altura, la madreselva sólo llega a seis. Por eso es muy adecuada para recubrir alambradas, portones, arcadas, jambas de puertas y pérgolas. En primavera y verano brilla con flores amarillas de intenso aroma que, en numerosas especies, después darán bayas rojas. La madreselva tampoco requiere muchos cuidados, pero para que crezca bien es recomendable que sólo las ramas floridas estén expuestas al sol y el resto crezca a la sombra. Si utiliza la madreselva para cubrir pérgolas procure que las hojas crezcan en la dirección del viento predominante.

MACETAS Y JARDINERAS

Los tiestos, jardineras y maceteros confieren a las plantas cierta movilidad temporal o permanente. Aquí trataremos la decoración permanente y en especial los recipientes lisos o de plástico porque tienen una gran ventaja: las raíces de la planta no crecen en grietas o fisuras, lo que representa un riesgo al trasplantarlas.

Las macetas y **jardineras** tienen varias ventajas, además de la movilidad que ofrecen. Una de las más visibles es que pueden embellecer fácilmente las terrazas, sobre todo si se escogen recipientes decorativos.

Ya en tiempos de los faraones los egipcios tuvieron la idea de cultivar plantas en recipientes. En algunos casos se trataba, y sigue siendo así en la actualidad, de tenerlas a mano para cocinar, por ejemplo las hierbas aromáticas. Otras sirven para decorar terrazas o para ser más visibles al colocarlas en lugares altos. Y, finalmente, los maceteros o jardineras permiten el cultivo de especies exóticas que en los períodos fríos se pueden transportar al interior de la casa, a invernaderos o a jardines de invierno.

Las plantas que crecen en jardineras o en macetas requieren pocos cuidados; es fácil preparar el suelo adecuado para cada una y las malas hierbas se pueden eliminar sin demasiado esfuerzo.

Sin embargo conviene respetar algunas normas importantes: coloque las macetas grandes o jardineras en el lugar deseado antes de llenarlas de tierra y de plantar, y sobre una superficie estable para que no se muevan y caigan cuando haya vientos fuertes.

Los recipientes deben tener orificios para el drenaje, sólo así el sustrato podrá eliminar el agua de riego excesiva. Para que la tierra no se salga por los agujeros cúbralos con guijarros o trozos de tiestos de barro. Si tiene una maceta especialmente bonita no es preciso que la agujeree, utilícela como cubretiesto en cuyo interior ocultará una maceta corriente. Tenga en cuenta que la maceta de dentro debe quedar ligeramente elevada para que el agua pueda salir por los

En los tiestos grandes
se pueden crear bellas
composiciones florales,
como por ejemplo una
combinación de cerastio,
hiedra y viola cornuta.

Adornada con algunas
plantas en maceta, la
escalera que conduce
a la terraza o hacia la
puerta resulta mucho
más agradable y acoge-
dora (página anterior).
La caña de la India
(izquierda) y la hortensia
(derecha) son idóneas
para las escaleras.

agujeros y llegar al cubretiesto, en el que se evaporará y creará un clima adecuado para el crecimiento de la planta.

Las plantas en macetas se secan con mayor rapidez que las que crecen directamente en la tierra, por eso en general hay que regarlas más a menudo. La lluvia que reciben las plantas en la terraza normalmente no es suficiente, y menos aún cuando están debajo de tejadillos o de estructuras cubiertas de plantas trepadoras. El riego «lava» la tierra de sustancias nutritivas, por lo que es inevitable tener que abonar las plantas

regularmente. Agregue una vez por semana un poco de fertilizante líquido o sales nutritivas al agua de riego.

En otoño las plantas también necesitan ser podadas para que ocupen menos espacio en invierno. Las hojas muertas y las flores marchitas o las ramas demasiado largas sólo molestan y ofrecen un punto de ataque a los parásitos o gérmenes. Si una planta ya está afectada se recomienda cortarla hasta la base para estimular el crecimiento.

Hay jardineros que aman la uniformidad y plantan una única variedad florida intercalada con plantas verdes: aquí vemos geranios plantados en jardineras y macetas adornando la parte delantera de la casa.

No hace falta decir que las plantas exóticas tienen que estar protegidas del frío intenso y del hielo. Pero algunas plantas autóctonas resistentes al frío tampoco soportan las temperaturas extremas del invierno y corren el riesgo de congelarse en la maceta. Por esa razón es preferible que estén en el interior o bien protegidas, de otra forma incluso los rosales o el boj acaban muriendo. Un saco de arpillera protege de las heladas suaves, pero no hay nada mejor que el poliestireno expandido o la película de plástico con burbujas de aire que retienen el calor. Otra alternativa son los cubretiestos rellenos de hojas muertas dispuestos unos muy cerca de otros y resguardados del viento.

¿Cuándo es necesario colocar las plantas delicadas en el interior? Como norma general se puede decir que las variedades exóticas como el limonero o la buganvilla son los primeros que deben entrar, algunos ya a finales de septiembre; algunas especies mediterráneas como el olivo o la datilera en octubre y, por último, las especies procedentes de países nórdicos para las que el «abrigo» de follaje o arpillera no basta como protección. En primavera se pueden sacar al exterior las macetas en el orden inverso cuando ya no haya riesgo de heladas. Al principio coloque las macetas a la sombra puesto que el contacto directo con la luz del sol podría ser fatal para las plantas que ya no están acostumbradas a sus rayos. Más adelante debe procurar emplaza-

familia que son muy adecuadas para el cultivo en macetas. El enebro se ve a menudo en balcones y terrazas, así como también el abeto y la picea. Cuando compre alguna de estas plantas de color verde oscuro infórmese bien sobre el tamaño que pueden llegar a alcanzar. Recuerde además que cuando más grandes sean las plantas más distancia deberá haber entre ellas. Por lo general será suficiente tener una maceta que sea del doble de grande que la que contiene la planta en el momento de la compra. Las coníferas requieren pocos cuidados, pero no debe olvidar regarlas a menudo y alimentarlas una vez al año con un abono de larga duración.

Una lograda combinación de tonalidades en una jardinera de terracota: lobelias, verbenas y licnis rojos.

mientos soleados para las plantas exóticas que en sus lugares de origen están habituadas al calor, como la adelfa, el hibisco, la granada o los cítricos. La trompeta de ángel o datura evapora tal cantidad de agua de sus hojas, que podría quemarse si está a plena luz del sol aunque se riegue abundantemente. Los períodos de lluvia demasiado prolongados son perjudiciales para algunas especies tropicales o subtropicales, por eso debe tener siempre un lugar resguardado de la lluvia y el viento en el que poder colocar sus macetas o jardineras.

Respecto a las coníferas cabe decir que existen variedades de crecimiento reducido de casi todas las plantas de esta

ARBUSTOS ORNAMENTALES

Tan duraderos como los árboles, tan floridos como las vivaces y tan fáciles de cuidar como las plantas ornamentales: los arbustos son necesarios en cualquier jardín para darle estructura y carácter. Hay especies de hoja perenne que florecen y dan bayas incluso en invierno, así que puede escoger una combinación que aporte forma y color todo el año.

Si la combinación de **arbustos** se ha escogido bien, el jardinero podrá disfrutar de ellos durante todo el año. Con sus flores y bayas, los arbustos de hoja perenne aportan color incluso en invierno.

Los arbustos de hoja perenne como el rododendro, el boj, el acebo o el tejo son los pilares verdes de nuestros jardines; pero sus congéneres caducifolios también tienen un atractivo especial. Nos muestran los cambios de estación con la aparición de sus jóvenes hojas primaverales, que oscurecen en verano y ofrecen un espectáculo de color en otoño y fría desnudez en invierno. Además los arbustos de hoja caduca son los que poseen las flores más bellas, que acompañan a las flores estivales, y sus hojas dominan el paisaje otoñal junto a los árboles.

el cítiso, de color amarillo crema ilumina un rincón umbrío del jardín y la scilla o campana azul forma un dúo soberbio con la veigelia. Esta última también es todo un espectáculo en solitario; sus flores rosadas que huelen a miel contrastan maravillosamente con el amarillo de sus hojas en verano. De igual modo armoniza el tupido manto de flores blancas de la bola de nieve con sus hojas. En invierno vuelven a ser los arbustos los que mantienen vivo el jardín: el hamamelis saluda con sus inflorescencias amarillas en forma de araña al sauce blanco, que viste la corteza de sus ramas de color naran-

Igual que el jazmín (página anterior), la espirea es un arbusto idóneo para formar un seto y ocupar el lugar de una valla (izquierda).

Los arbustos se pueden trasplantar, pero cuanto más tarde se haga, mayor será el esfuerzo a realizar y más alto será el riesgo que el trasplante supondrá para ellos. Por eso conviene reflexionar antes de decidir en qué lugar se han de plantar. Si ha planificado bien la distribución de los arbustos, será recompensado por su efecto de larga duración. Una lila solitaria plantada en el césped se convertirá en mayo, año tras año, en el centro de atención con sus bellas flores de agradable aroma; en verano ofrecerá una sombra que será bien recibida, por ejemplo sobre un banco. Un filadelfo de flores blancas actúa como una pantalla de cine en la que se proyectará la amplia gama de colores de los tulipanes;

ja, mientras que los troncos rojos y amarillos de la alheña reflejan los tenues rayos del sol de invierno.

Muchos arbustos adoran salir a escena cuando luce el sol. Entre ellos la buddleia o lila de verano, que es de tamaño mediano y presenta un follaje en forma de espigas e inflorescencias en racimos de color lila que llegan a medir hasta 30 cm de longitud. También es conocido como el «arbusto de las mariposas» porque a finales de verano, cuando florece, atrae como por arte de magia al bello insecto multicolor y brilla por partida doble. Este arbusto ornamental procedente del Asia

Estos arbustos de jazmín, deutzia y veigelia, muy cercanos unos a otros, forman una amable separación del jardín vecino.

oriental necesita calor y un emplazamiento protegido en suelos de buena calidad pero más bien secos. Además, como otros arbustos que necesitan sol, en invierno se deben cubrir sus raíces para protegerlas. Para ello clave cuatro estacas en la tierra alrededor de la planta y extienda una tela de yute o una lámina de plástico que atará con hilo bramante. Si la lila de verano está al lado de un muro, haga una

especie de estera con paja entre dos capas de tela metálica y sujétela con tutores alrededor del arbusto.

Otros arbustos resisten el riguroso invierno y el frío aire del mar sin problemas. En el caso de la bola de nieve ya lo indica su nombre; también la espirea soporta las inclemencias del tiempo. En verano no busca desesperadamente el sol aunque también es resistente a sus rayos. Por eso

También en el caso de los arbustos el jardinero puede escoger entre la amplia oferta de colores; aquí vemos una combinación de amarillo cítiso y lilas de color violeta.

es una planta ideal para formar setos siempre que se le proporcione la frondosidad necesaria mediante la poda adecuada. Sus umbelas blancas, rosadas o rojas decoran las paredes verdes en primavera y otras variedades también en verano y a principios de otoño.

Presentaremos también otros tres arbustos ornamentales destacables: la hortensia, originaria de Japón, de presencia casi obligatoria en todo jardín. Tanto el patio interior, como el jardín de entrada, el balcón o la terraza, cualquier lugar ganará belleza con sus grandes flores duraderas, con corimbos terminales, de diversas tonalidades de color blanco, azul y rosa. Algunos arbustos crecen tanto que superan incluso a los rododendros. Una cualidad muy apreciada de esta planta es que puede vivir en lugares soleados pero también a media sombra siempre que el suelo sea rico en humus. Bajo los árboles altos de copa ancha destacará si la libera regularmente de las hojas y flores marchitas.

Un arbusto no tan espléndido pero que también es la atracción de todas las miradas y de larga duración es la potentilla. Crece como tapizante de poca altura, pero como arbusto puede llegar a alcanzar más de un metro de altitud y presenta flores blancas, rojas, rosadas e incluso amarillas. Según la variedad florece entre los meses de marzo y septiembre, por eso si dispone distintas variedades altas de potentilla formando un seto, éste tendrá flores durante un largo período. Además esta planta exige muy poco del suelo, lo cual es una gran ventaja.

Las variedades invernales de la fucsia son un clásico del jardín. En general son arbustos pequeños que, si no se podan, pueden alcanzar un tamaño considerable después de algunos años. Aunque su origen es subtropical no le gusta el sol directo. Quizás sea por coquetería, ya que en muchas de las dos mil variedades existentes de esta planta, los corazones blancos rodeados de sépalos de color rojo oscuro despliegan toda su belleza en emplazamientos a media sombra.

Esta combinación de arbustos floridos es una delicia no sólo para la vista, sino también para el olfato gracias a los perfumes del jazmín, de la veigelia y del ciruelo rojo.

135

ÁRBOLES Y ARBUSTOS DE HOJA PERENNE

No sólo las coníferas conservan una chispa de vida durante los meses de invierno.
Los árboles y arbustos perennifolios desempeñan un papel quizá más importante que
el de éstas, pues en invierno son la promesa permanente de la llegada de la primavera.
En cierto modo guardan sus hojas por los demás.

los árboles de hoja perenne también muestran manchas marrones o síntomas de cansancio, en comparación con el cambio de colores que presentan las plantas de temporada, su aspecto apenas se modifica.

Esto no significa que tenga que renunciar a la diversidad cuando configure la composición de perennifolias en su jardín. Existen plantas de este tipo de diferentes tonos de verde; desde el más pálido hasta el más oscuro, pasando por el plateado y el grisáceo. La forma de las hojas también varia enormemente, en realidad lo que cuenta es saber dónde quiere plantar cada árbol o arbusto. En algunos casos el jardinero necesitará tener un seto para cercar el jardín, en otros querrá usarlos para dividir una superficie en dos o para ocultar zonas menos atractivas.

Con ayuda de los árboles y arbustos perennifolios podrá cubrir muros o suelos de forma permanente, o extender una alfombra bajo los árboles que en otoño recogerá la hojarasca para crear dibujos cambiantes, y en primavera serán el telón de fondo del nacimiento de crocos y

Cuando las **flores** se han marchitado hace tiempo, los frutos se han cosechado y los árboles han dejado caer sus hojas, los arbustos perennifolios decoran el jardín durante el invierno con su intenso verdor.

Por aquí nacen unas flores, por allá se marchitan otras, el verde intenso deja paso al concierto de colores del otoño… El jardín cambia de aspecto constantemente. Sólo la base verde de las perennifolias está asegurada. Si bien es cierto que en algún momento

narcisos de vivos colores. Algunos arbustos, como el boj o el tejo se pueden recortar para formar figuras originales que bordeen el camino o formen arcos.

En cierto sentido las plantas perennes se pueden considerar también útiles, ya hemos tratado una de sus funciones más importante: su excepcional capacidad para formar setos. En invierno también se pueden emplear como efectivas pantallas protectoras contra el viento que, por supuesto, resultan mucho más bonitas que las artificiales paredes de cemento o las vallas metálicas. Incluso como plantas decorativas ofrecen numerosas posibilidades: en primavera y verano los rododendros acompañan alegremente al mágico colorido de las flores y plantas vivaces.

La única pequeña desventaja se puede compensar fácilmente: la mayoría de ellas no son plantas autóctonas o no son bien acogidas por la fauna local; una elevada concentración de perennifolias puede resultar algo estéril y demasiado seria. Los pájaros prefieren hacer sus nidos en arbustos caducifolios o en los árboles locales y otros animales pequeños también prefieren permanecer en los matorrales más comunes. Por eso es muy importante crear una mezcla equilibrada para atraer a los animales beneficiosos para el jardín.

Los setos de coníferas perennifolias son una protección muy apreciada contra las miradas indiscretas porque cumplen su función incluso en invierno.

CONÍFERAS EN EL JARDÍN

Aunque la palabra procedente del latín evoca la forma de cono de las piñas, el término conífera designa también a los árboles y arbustos que no dan frutos. Los jardineros aprecian las numerosas tonalidades de colores, tan interesantes para el jardín, de estas plantas leñosas, perennes en su mayoría.

El color de las hojas aciculares no sólo varía entre todas las tonalidades del verde, sino que también ofrece matices grises, azules, plateados y amarillos. Existen coníferas de todos los tamaños, así que no hay excusa para prescindir de ellas en el jardín. Desde el árbol tan alto como la casa hasta el soto; desde el cubresuelos hasta el abeto se puede tener todo: piceas y pinos enanos, abetos azules y enebros, cipreses y abetos de Douglas, abetos Hemlock y del Cáucaso, pinos paraguas japoneses, así como las variedades que pierden sus hojas en invierno, en particular el alerce.

Las coníferas en general necesitan estar en un emplazamiento soleado y amplio con un suelo algo nutritivo. Sólo el abeto de Douglas se adapta a los suelos secos y de bajo contenido en nutrientes, incluso al suelo de mala calidad y a los lugares a media sombra. Cuando compre coníferas no sólo debe tener en cuenta la altura que alcanzará la planta en el futuro, sino también la amplitud. Hay arbustos que en la base pueden llegar a medir hasta seis metros y por lo tanto necesitan que las distancias entre uno y otro sean mayores. No todos los jardines disponen del espacio necesario para los arbustos que alcanzan

Las **coníferas** aseguran un verdor permanente en el jardín.

estas medidas. Así mismo hay que tener precaución incluso con las variedades que se venden como «enanas»: un enebro chino de diez años medirá un metro y medio y seguirá siendo bajo y encantador ya que crece muy lentamente; pero después de veinte años puede llegar a medir más de tres metros de altura y cinco de anchura. La podadera no sirve de ayuda contra un crecimiento de tales dimensiones, pues muchas coníferas no resisten la poda y aún menos un recorte para darles forma. Recuerde pues que es muy importante informarse adecuadamente sobre el desarrollo del arbusto para procurarle el espacio vital que necesite.

La mejor época para plantar las coníferas es el final del verano, el suelo todavía está caliente pero el aire es más húmedo que durante la canícula. Se plantan con cepellones bien mojados y envueltos en sacos de yute. Para que tengan la humedad necesaria coloque el cepellón en agua durante una hora como mínimo antes de plantarlo en la tierra; el aire que probablemente se habrá acumulado en las raíces durante el transporte y que podría impedir la absorción de agua saldrá haciendo burbujas. Si sigue este consejo después de la plantación no necesitará regar tan abundantemente; y así evitará que el suelo esté cenagoso y ponga

Los abetos, con sus peculiares formas, son siempre un adorno en el jardín. Al combinarlos con tulipanes, el contraste de formas y colores es de una belleza excepcional.

Este conjunto de enebros en el prado sería el orgullo de cualquier jardinero.

La combinación de coníferas no podría ser más bella: la gama casi infinita de tonalidades verdes está perfectamente acompañada de algunos toques de color.

en peligro la estabilidad de la joven planta. Crecen bien cuando la tierra ha sido trabajada a conciencia con turba húmeda, después de haber mullido el suelo como mínimo a dos paladas de profundidad. Entonces las raíces pueden crecer con más facilidad hacia el fondo y antes de las tormentas otoñales procurar apoyo firme, que reforzará sujetando el tronco a tres tutores. Si ha introducido los cepellones con la tela de yute, pise firmemente la tierra alrededor del árbol, haga un corte en la parte de la tela que salga del agujero de plantación y sepárela. No representa ningún peligro para las raíces de las coníferas y con el tiempo se descompondrá. Abone la planta sólo cuando ya haya arraigado, pero no antes de la siguiente primavera.

Después de algunos años puede trasplantar las coníferas. Por un lado requiere gran esfuerzo, y por otro siempre es posible que la planta resulte dañada. Por eso es preferible pensar detenidamente en qué lugar se van a plantar para evitar cambios que podrían ser peligrosos. No obstante, si por cualquier motivo fuera absolutamente

necesario realizar un trasplante, debe tener cuidado para que la planta que ha cambiado de lugar esté protegida de la pérdida de humedad.

No son pocas las coníferas que necesitan protección en invierno: a través de sus hojas pierden agua que absorben del suelo. Cuando hay heladas esto puede ser difícil si la tierra que está en la zona de las raíces se ha helado, la planta no podrá sustituir la humedad perdida por evaporación y estará en peligro. Por eso es conveniente prevenir en otoño y procurar una reserva de agua para el suelo de las raíces. Esto se puede hacer con una manguera de la que dejará salir el agua lentamente de forma que gotee continuamente sobre el suelo en el que se encuentra el árbol.

No pierda la esperanza después de una fuerte helada: llene una regadera de agua caliente y viértala alrededor del árbol. El suelo se descongelará lo suficiente como para que las raíces puedan volver a absorber agua. No tema perju-

dicar a la planta, ya que el agua se enfriará en el suelo a tal velocidad que es imposible que aquella se pueda quemar.

La distribución de las coníferas en el jardín, (todas juntas, en bordura, aisladas o en grupos) es cuestión de gustos pero depende del tamaño y el carácter del jardín. Las parejas de coníferas siempre quedan bien: las de color verde oscuro son ideales como paisaje de fondo y pierden algo de su seriedad cuando se anteponen los colores intensos de sus flores. Y como un jardín no es lo mismo que un bosque, en el que domina una u otra especie, una mezcla de arbustos coníferos con otras especies resulta muy atractiva. También puede plantar árboles o arbustos perennifolios, aunque con los caducifolios se obtienen los contrastes más acentuados. A lo largo del año cambia su aspecto, mientras que sus compañeros coníferos apenas modifican su imagen y aportan un efecto duradero.

El pino negral austriaco (izquierda) es una de las variedades coníferas más bellas.

La picea blanca parece un enano entre el alegre colorido de las flores (derecha).

LOS SETOS VIVOS

Ni las vallas ni los muros delimitarán su jardín de forma tan delicada, protegerán de las miradas indiscretas y del viento ni disimularán tan elegantemente los rincones poco estéticos como los setos perennes o caducos. Se adaptan al entorno y en otoño desarrollan su hojarasca de colores y permanecen verdes en invierno.

Los setos cumplen una **importante función** en las superficies extensas. No sólo protegen del viento y de las inclemencias del tiempo, sino que ofrecen un hogar a los pájaros y otros animales útiles del jardín.

En general se distinguen dos tipos de setos: los que crecen en estado silvestre y los que se recortan para darles forma, aunque entre unos y otros no hay una frontera determinada. Como delimitación exterior del jardín la mayoría son recortados, mientras que los más frondosos o silvestres se encuentran más a menudo en el interior del jardín o cubriendo vallas. Tanto los setos hechos de plantas perennifolias como los de caducifolias se pueden recortar para darles la forma deseada. La haya y el carpe, por ejemplo, son fáciles de recortar y mantener a la altura deseada. Sus hojas se caen casi siempre al final del invierno cuando aparecen los nuevos brotes. El follaje otoñal de color marrón sigue

cumpliendo su función protectora incluso en los períodos más fríos.

Con el boj, de hojas perennes, se pueden obtener formas más bonitas, incluso se pueden recortar los contornos para crear figuras. Si deja una distancia de casi medio metro entre planta y planta, crecerá formando un frondoso seto, pero no debe olvidar recortarlo regularmente. Si desea un seto que bordee el camino o los arriates plante los arbustos de boj dejando una distancia menor y recórtelo para que el seto sea más bajo. Un seto de acebo, también conocido como palma espinosa, ofrece protección doble con sus hojas de color verde oscuro y las espinas que impiden la entrada a los intrusos. La distancia

Si no dispone del espacio suficiente para una rosaleda una buena alternativa es el seto de rosas (izquierda), que también necesita mucho calor, aire fresco y suelo rico en nutrientes y bien húmedo.

Un seto de jacobinia (página anterior) es un paraíso para pájaros y otros animales pequeños.

entre plantas es similar a la del boj y se debe recortar a principios de otoño.

La alheña, uno de los arbustos más apreciados para formar setos, se debe plantar con una distancia de unos 30 cm entre uno y otro. Existe una variedad de hojas de color amarillo dorado que es casi más bella que la de hojas verdes. La madreselva de los Pirineos, de minúsculas hojas verde oscuro similares a las del boj, también es perennifolia. Para mantener la forma hay que recortarla varias veces al año. Ciertas coníferas también resisten varias podas y

por lo tanto son adecuadas para hacer setos; es el caso del ciprés de Lawson, que crece muy lentamente, o el tejo. Para los setos silvestres, es decir, de crecimiento libre, se recomiendan otros arbustos como el agracejo, también perennifolio, que en primavera brilla con flores amarillas y es impenetrable gracias a sus espinas. Para setos bajos en el interior del jardín la lavanda es una buena opción: sólo crece hasta un metro de altura y crea una barrera perfumada. El espino de fuego, con sus bayas de un rojo anaranjado que mantienen el color incluso en invierno, es también muy apreciado para setos de crecimiento libre. Otros arbustos adecuados para setos no tienen bayas sino flores primaverales de luminosos colores, como las doradas forsitias a principios de la primavera; el ciruelo mirobolano de flores de un rosa delicado que también adorna con sus frutos rojos; la voluminosa espirea de redondos contornos y soberbias flores blancas en mayo; la escalonia, resistente a cualquier clima que se viste de rojo en verano.

Pero ¿cómo se plantan estos arbustos? Todos ellos son de follaje caduco y se pueden adquirir a precios económicos con raíces desnudas. Como proceden directamente de los viveros se tienen que plantar en la tierra lo antes posible, en otoño o en marzo;

la plantación también se puede realizar en invierno siempre que no haya riesgo de heladas. El procedimiento es el siguiente: marque la línea en la que desee plantar los arbustos con ayuda de una cuerda de plantación. Mientras prepara el suelo las raíces de las plantas se tienen que mantener húmedas y tapadas. Cabe una zanja de 60 cm de ancho y casi cincuenta de profundidad a lo largo de la línea de plantación. Al realizar esta operación separe el sustrato vegetal de la tierra de las capas más profundas. Ahueque la tierra del fondo y mézclela con compost. Incorpore la tierra de las capas profundas y después el sustrato vegetal; durante este proceso retire las piedras y deshaga los terrones que pueda haber. Como el material ha

Este imponente seto recortado de haya no tiene una función puramente estética; también actúa como protección contra el viento.

que tenía antes, separe las raíces en el agujero y rellénelo con tierra que presionará ligeramente. Es imprescindible regar la planta inmediatamente y después hacerlo de vez en cuando.

Todos los setos, incluso los que crecen libremente, necesitan ser cortados en algún momento; en el caso de los setos silvestres la poda se hará en intervalos grandes para retirar el material muerto. Le recordamos que debe utilizar podaderas o tijeras bien afiladas para que el corte sea limpio y no se originen heridas en la corteza ni se aplaste la madera. Es recomendable podar la parte superior de los setos con contornos recortados para evitar la acumulación de nieve en invierno. La poda se tiene que realizar dos veces al año y sólo una en el caso de los setos silvestres. Para estos últimos utilice una podadera ya que su forma curva evitará dañar las hojas. Para los setos con formas es mejor utilizar una podadera eléctrica y realizar movimientos regulares. Sólo si se trata de plantas de hojas grandes y separadas, como el laurel, se recomienda utilizar la podadera manual para no ocasionar daños.

sido mullido, el nivel de la zanja llena de tierra es ahora más alto.

Coloque ahora las plantas manteniendo las distancias previstas entre ellas, un listón de madera recto con la longitud deseada le puede servir de ayuda. Cave un agujero para cada planta, introduzca el joven arbusto a la misma profundidad

Un seto de boj (izquierda) no sólo es un marco ideal para el huerto y el jardín de hierbas aromáticas; también bordea bellamente los senderos del jardín ornamental.

El paraíso verde: esta cuidada combinación de setos recuerda a los balnearios de antaño y sigue siendo actual gracias a su toque romántico (abajo).

NATURALEZA SALVAJE

A veces un peinado de aspecto revuelto es más difícil de conseguir que un corte perfecto.
Lo mismo sucede con la apariencia natural del jardín: se debe planificar, arreglar y
cuidar para que mantenga su forma y no parezca un jardín desordenado y abandonado.
El trabajo del jardinero es necesario, aunque no se debe notar.

Un jardín de aspecto **natural** no está exento de trabajo. Requiere igualmente una estudiada planificación y el mismo esfuerzo o incluso mayor que cualquier otro tipo de jardín.

En primer lugar le recomendamos que no plante especies exóticas en el jardín salvaje porque causarían un efecto poco natural. Esto no significa que tenga que renunciar a la amapola oriental o a otras variedades de cultivo que se diferencian de las silvestres únicamente por una vegetación algo más densa y flores más ostentosas. En las composiciones florales no se aprecia porque falta el contraste con lo salvaje, por eso en el jardín salvaje también hay lugar para las hierbas de adorno y las vivaces ornamentales.

Puede reservar una parte de su jardín para plantar un prado campestre, para el que encontrará mezclas de semillas ya preparadas en cualquier jardinería especializada. Si su jardín es inmedia-

tamente contiguo al jardín de césped de un vecino, debería hablar con él antes de sembrar, ya
que podría tener problemas si a causa del viento
se esparcen las semillas de sus flores. Un seto
salvaje es ideal como elemento de separación
entre un prado y un paraíso floral de lirios de los
valles, lirios cárdenos y lupinos. Los arbustos
proporcionan la sombra necesaria y un
perfil vertical muy atractivo. El jazmín, el espino blanco, el endrino, el saúco, el avellano y la
retama, así como las coníferas, también cumplen
ambas funciones.

El mantenimiento es muy importante para que
las plantas que exigen más espacio no invadan a
las más pequeñas o a las de crecimiento más
lento. Por esta razón de vez en cuando tendrá
que dividir los arbustos en dos y mantener a las
tapizantes dentro de sus límites de forma delicada pero efectiva. El aclareo será una tarea
imprescindible para que las flores más pequeñas
reciban el sol que tanto necesitan; también
requieren un riego más abundante mientras que

el resto de los follajes frondosos retienen mucho
mejor la humedad.

Un jardín no se puede considerar salvaje si no contiene plantas trepadoras
que escondan los muros y paredes,
cubran los cenadores y den sombra a los senderos. Los rosales trepadores revisten vallas y cer-
cas y guiados por alambradas crecen sobre las
puertas hasta los balcones. La madreselva o la
vid silvestre convierten una casa de campo en
un castillo encantado y la hiedra viste de gala
los muros umbríos.

Para completar el efecto romántico del conjunto
no pueden faltar las hierbas aromáticas: la menta
y la salvia, el espliego y la albahaca, el tomillo y
el romero, el poleo y la ajedrea, crearán un agradable ambiente perfumado y además contribui-
rán a enriquecer el sabor de sus platos. Lo único
que debe tener en cuenta es que los aromas no
sean incompatibles. Las hierbas locales son las
que mejor armonizan entre sí.

*Aunque su apariencia
es salvaje, el jardinero
ha tenido que trabajar
con esmero. Decorada
con plantas trepadoras,
la casa se integra con
armonía en el conjunto
de árboles y flores.*

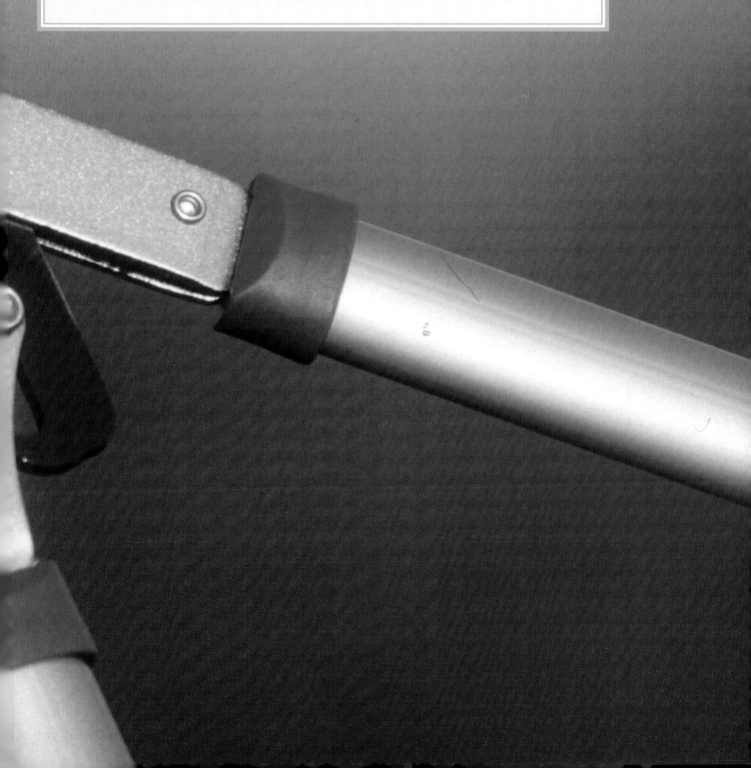

HERRAMIENTAS
DE JARDINERÍA

PODAR, CAVAR, MULLIR, DESHERBAR

Naturalmente nada le impide «asociarse» con sus vecinos y compartir las herramientas.
Pero ocurrirá a menudo que su vecino y usted tengan que realizar los mismos trabajos
a la vez y por ello deba esperar hasta poder utilizar el utensilio requerido. Por este motivo
es probable que prefiera adquirir sus propias herramientas.

El trabajo del jardín resultará menos pesado si se utilizan las **herramientas** apropiadas. Adquiera de entrada los útiles básicos, según sus necesidades, y compre otros a medida que los vaya necesitando.

Las herramientas básicas son indispensables para realizar cómodamente los diversos trabajos que requiere el jardín, facilitan el trabajo y lo hacen más agradable. Le recomendamos que aproveche el tranquilo invierno para inspeccionarlas y limpiarlas en profundidad.

Las herramientas que se usan más a menudo son la pala y la horquilla para cavar la tierra; la azadilla para mullir el suelo y el rastrillo para igualar la superficie y desmenuzar los terrones de tierra apelmazada; para trabajar entre las plantas son imprescindibles la azuela y la horquilla de mano; para ahuecar la tierra en grandes superficies se necesita la azada; evidentemente también se precisan cuchillos de diversas formas y tamaños, así como tijeras y podaderas; asimismo necesitará una regadera y una manguera larga, flexible y a ser posible ligera; la inversión en una carretilla merece la pena sólo si el jardín es de grandes dimensiones y si dispone de espacio para guardarla. Si desea tener un césped bien cuidado, no podrá evitar la adquisición de un cortacésped. Le recomendamos uno con motor si la superficie es grande, de lo contrario bastará uno manual.

En cuanto al trabajo de cavar la tierra hay que decir que si el suelo es ligero será suficiente una horquilla, pero para suelos más pesados habrá que usar la pala cuadrada o el azadón. Ésta es muy útil para cortar placas de césped debido a su cuchilla. Sin embargo, para recolectar patatas no podrá pasar sin la horquilla. Para cavar en los cultivos de flores o de verduras y en espacios reducidos le será muy útil la horquilla de mano, con su mango corto.

Si cuida las herramientas y las limpia a conciencia después de cada uso, éstas se lo agradecerán con un buen funcionamiento

durante muchos años. Los restos de tierra se pueden retirar con una espátula de palo vieja o un trozo de madera; las partes metálicas, a su vez, se deben limpiar bien y secar con un paño si se han mojado. Guarde las herramientas en un lugar libre de humedad, colgadas de la pared para evitar apoyarlas sobre la parte metálica; de esta manera permanecerán ordenadas, ocuparán poco espacio y será fácil encontrarlas. Las juntas, entre la madera (mango) y el metal (la herramienta en sí), son normalmente las partes más afectadas por la humedad, y el sitio por el que se suelen estropear. Cuando trabaje con útiles de pequeño tamaño (plantador, cuchillo, tijera, horquilla de mano, podadera, etc.) le aconsejamos que las transporte en una caja de herramientas, así nunca se las dejará olvidadas por ningún rincón del jardín.

Cuando la **hojarasca** se acumula en su jardín, sabe que no le queda más remedio que ponerse manos a la obra. Pero piénseselo dos veces antes de utilizar un aparato con motor.

SOPLADOR Y ASPIRADOR DE HOJAS

Cada año, los jardines públicos y privados retumban con ruidos de motores desagradables. Demasiado a menudo vemos a siniestras siluetas armadas con aparatos contaminantes y ruidosos retirando las hojas de los jardines. Si estas máquinas son todavía admisibles en grandes superficies, son absolutamente inconcebibles en jardines de tamaño mediano.

Todos los otoños la caída de las hojas desespera a los jardineros amantes del orden en su paraíso. Naturalmente, a nadie le gusta tener el césped cubierto de hojarasca; además de que termina por pudrirse. Pero después de todo, las hojas muertas no han empezado a caer de la noche a la mañana, y existen otras alternativas –las que han utilizado nuestros abuelos y tatarabuelos– silenciosas y no contaminantes, como las escobas metálicas o los rastrillos anchos de toda la vida; estos aparatos con motor en realidad son totalmente prescindibles y, si piensa bien en sus inconvenientes, no los utilizará.

Por un lado, estas máquinas representan una molestia para los vecinos y para su propia familia: los sopladores y los aspiradores que se pueden comprar actualmente son tan ruidosos que la legislación obliga a los usuarios a utilizar un casco de protección auditiva. Por otro lado, los motores de estos aparatos son altamente contaminantes. La dimensión de las superficies tratadas con ellos no justifica de ningún modo la contaminación que llegan a producir. Y un argumento más, esta vez uno que afecta directamente a sus arriates de flores y verduras: los efectos secundarios de sopladores y aspiradores no siempre se pueden controlar, ya que a menudo retiran la hojarasca de los lugares donde es necesaria como protección en el invierno, abono natural o humus proveedor de calor mediante descomposición.

Aunque por lo general es la naturaleza la que se encarga de aportar la hojarasca necesaria para proteger a las plantas de las inclemencias del invierno, sobre todo el frío y la nieve, en los jardines modernos este aporte es a menudo insuficiente siendo necesaria la intervención del jardinero. La capa de hojas muertas, ramas secas y placas de césped puede llegar a alcanzar los 5 cm de grosor al pie de los arbustos y de los cultivos. Esta capa protectora atrae asimismo a muchos pequeños animales, que encuentran refugio y alimento en ella. Ellos son los que finalmente transforman estos restos en materia nutritiva para las plantas.

Las lombrices de tierra en particular y otros pequeños animales disfrutan especialmente de ella, mientras que los ruidosos motores de sopladores y aspiradores los ahuyentan; una insustituible pérdida para el suelo.

A menudo las hojas muertas como única protección no bastan. Además, si el tiempo es seco, el viento se las lleva con facilidad, por lo que le recomendamos que esparza sobre ellas material orgánico algo más pesado, como compost, pequeñas ramas secas o corteza troceada para que no salgan volando en la primera ventolera.

Un aspirador de hojas muertas parece facilitar considerablemente el trabajo en el otoño. Sin embargo, sólo son rentables en jardines de gran extensión. Para uno pequeño le bastará la tradicional escoba metálica.

E L CUIDADO DEL CÉSPED

Para mantener el césped en buenas condiciones hay que abonar, escarificar y escardar de vez en cuando. Sin embargo, se debe podar con regularidad cada semana o cada dos según la altura y el espesor deseados. La elección del aparato correcto –cortacésped y desbrozadora– es fundamental.

El cortacésped más simple y menos contaminante es el mecánico, que funciona empujándolo con las manos (las ruedas transmiten la fuerza a las cuchillas). Estos robustos aparatos realizan un corte limpio y bastante corto. Desgraciadamente, su uso exige cierto esfuerzo y no todo el mundo está dispuesto a realizarlo. En la época en que vivimos, la mayoría escogen un cortacésped eléctrico o de gasolina.

Ambos tienen ciertas ventajas. El de motor de gasolina no depende de otra fuente de energía, pero es bastante más ruidoso y contaminante;

además, no es muy bienvenido en el jardín, paraíso de calma y tranquilidad. Por otro lado, como todo aparato motorizado es bastante sensible, por lo que se debe revisar regularmente, y debido a un uso incorrecto puede tener dificultades para arrancar o incluso dejar de funcionar. Las reparaciones son costosas y la gasolina cada día más cara.

La electricidad, por su lado, tampoco es gratis. Sin embargo estas máquinas son más ligeras y resultan más económicas. Además producen menos ruido y son menos contaminantes. No obstante, en superficies grandes la longitud del cable puede ser un problema. Los cortacésped equipados con acumuladores no tienen este inconveniente, pero únicamente funcionan entre recarga y recarga.

Entre los modelos con motor, los más cómodos son aquellos que accionan simultáneamente el sistema de tracción y de corte. No obstante, los modelos de tracción son bastante más caros. Si la economía se lo permite, le recomendamos que compre uno de colchón de aire. Estas máquinas acceden con facilidad a los rincones más difíciles y son apropiadas para recortar borduras. Sin olvidar que su manejo requiere el mínimo esfuerzo muscular.

Para recortar los bordes, todas las grandes marcas de maquinaria de jardinería poseen en sus catálogos diversos modelos de desbrozadoras. Estos aparatos, con un sistema de hilo de nylon rotante, pueden acceder a los rincones más difíciles (contorno de árboles, borduras de arriates o caminos, límites de vallas, etc.), cortar la hierba a ras de suelo, si se desea, y perfilar el césped. Además, existen modelos eléctricos y también de gasolina.

Entre tanto, las máquinas de cortar césped equipadas con un cesto para recoger la hierba corta-da están conquistando el mercado porque facilitan enormemente el trabajo. Se trata de una evolución positiva, ya que los montones de hierba recién cortada acumulados sobre el césped no ofrecen un espectáculo precisamente bonito. En realidad esta hierba, bien dosificada, puede servir de abono. Por el contrario, si la cantidad es excesiva también puede dañar el césped, llegando incluso a secarlo.

Una pradera natural en todo su esplendor no es simplemente bella, sino que desde el punto de vista ecológico cumple una función importante (arriba).

Existe una gran variedad de desbrozadoras. En esta imagen, un aparato diseñado especialmente para cortar los bordes del césped.

CAMINOS Y SENDEROS

Quien visite su futuro jardín durante un día soleado se preguntará qué necesidad hay de afirmar los caminos. Simples senderos y caminos de hierba ya son suficiente. Una vez pasadas las primeras lluvias, comprenderá porqué se deben construir sólidos caminos con losas fijas o con grava; no se trata en ningún caso de un lujo, sino de pura necesidad.

Los caminos y senderos son importantes en el **diseño** del jardín. Aparte de los de cemento o madera, también son muy apropiados los de losa.

pueden obtener en materia de losas, tanto de piedra natural como artificial. Con un poco de imaginación se pueden conseguir soluciones verdaderamente atractivas.

La manera más sencilla es hacer un camino uniforme con losas de cemento sobre un lecho de arena. El trabajo es ciertamente agotador, incluso si las losas son pequeñas y no muy pesadas. Sin embargo, un camino de estas características es ideal como vía principal en el jardín, requiere pocos cuidados y permite el paso a la carretilla y

El rechazo generalizado expresado contra la instalación de caminos fijos en el jardín no se debe únicamente al esfuerzo que supone su realización, sino también a la imagen estereotipada del camino gris y monótono de cemento. Eche un vistazo en los comercios especializados y se sorprenderá ante la diversidad de formas, colores y productos que se

A continuación, se distribuye la arena y se alisa con la arista de un listón de madera lo más recto posible. Encima se coloca la losa, que no necesitará ningún tipo de bordura pues quedará incrustada en el lecho preparado. Rellene con la tierra extraída los huecos que hayan quedado y apisone bien estas zonas. En ellos podrán crecer ahora plantas cubresuelo; no otras de talla mayor, ya que la arena impide un arraigamiento profundo.

Los caminos a base de círculos de madera resultan muy decorativos. Sin embargo, hay que tener presente que en caso de lluvia la madera se vuelve muy resbaladiza. Si se desea construir un camino que permita el transporte, no se ha de recurrir necesariamente al gris pavimento de cemento. Una alternativa más interesante puede ser un camino de grava. Evidentemente, con esparcir la grava no está todo hecho: también en este caso será necesario excavar un lecho. Primero extienda en el fondo una capa de grava gruesa o guijarros y, a continuación, otra de gravilla. Una mera capa de gravilla desaparecería en el suelo al poco tiempo. Plantas o piedras en bordura asegurarán por ambos lados el camino de grava.

a otras máquinas. No obstante, no es tan bonito como un camino a base de losas de piedra aisladas, entre las que pueden crecer plantas o simplemente hierba.

El lecho de arena se recomienda también para este tipo de caminos, tanto si se trata de losas de piedra natural como artificial. Recorte con la pala las placas de hierba en los lugares donde vaya a colocar las losas y retire después la capa de tierra superficial. Unos 10 cm de profundidad suelen ser suficiente; si el suelo es muy pesado, puede profundizar un poco más. Apisone la superficie con un bloque de madera y nivélela depositando guijarros en las zonas que cedan al peso.

Una planificación minuciosa es muy importante a la hora de hacer un camino en el jardín (página anterior). Las losas de piedra natural deben reposar en un lecho. Recorte con la azada las placas de hierba en los lugares donde vaya a colocar las losas y retire entonces la capa de tierra superficial. Elimine las irregularidades del lecho retirando las piedras que afloren y asentando la losa de piedra hasta que no se mueva. Después de un tiempo el camino parecerá completamente natural.

● Mes ideal
○ Mes apropiado

	Enero	Febrero	Marzo	Abril	Mayo	Junio	Julio	Agosto	Septiembre	Octubre	Noviembre	Diciembre
Preparar												
Análisis del suelo	○	○	●	●					●	●	○	○
Precultivar las flores de verano			●	●	○							
Precultivar las verduras			●	●	●	○	○					
Cultivo en semillero sobre el suelo				○	●	○	○	○	●	●	○	
Protección invernal	●	●	○	○							●	●
Cuidar												
Cubrir con paja	●	●	○	○	○	●	●	●	●	●	●	
Abonado vegetal			●	●	○	○	○	●	●	○		
Compostaje			●	●	○	○	○	○	●	●		
Mullir					●	●	●	○				
Combatir las malas hierbas				○	●	●	●	●	●	●		
Riego				○	○	●	●	●	○	○		
Sembrar en el huerto												
Flores de verano anuales				○	●	○						
Flores de verano bianuales						●	●					
Plantas vivaces				○	●	○		○	○			
Verduras y hortalizas					○	●	●	●				
Multiplicar												
Plantas vivaces			●	●	●	○		●	●	○		
Árboles	○	○	○	●					●	○	○	○
Árbustos de bayas						●			●	○		
Plantar												
Girasoles precultivados					○	●	●	○				
Plantas vivaces				●	○				●	○		
Plantas bulbosas					○	○		●	●	○	○	
Plantas leñosas ornamentales	○	○	●	●	○				○	●	●	○
Árbustos de bayas				●					●			
Árboles frutales	○	○	●	●						●	●	○
Plantas de balcón				○	●	○		○	○			
Instalar												
Césped					●	○		○	○			
Rocalla			●	●	○				○			
Estanque				○	●	●	○	○	○	○		
Minibiotopos	○	○	○		●	●			●	●	○	○
Arriates elevados					○	○			●	●	○	
Podar												
Setos						○	●	●	●	○		
Rosales			●	●	○							
Arbustos de bayas	○	○	○	●				●				○
Frutales de pepita	○	○	○	○					●			○
Frutales de hueso	○	○	○	○				●	●			○
Frutales en espaldera	○	○	○	○					●			○
Poda de formación de frutales	○	○	●	○					○	●	●	○
Poda de reducción de vivaces				○	○	●	○	●	○	○	●	

CRÉDITOS FOTOGRÁFICOS

MEV, Augsburg: 2, 20, 69 ab.

Otras fotografías:
Silvestris Fotoservice, Kastl